ESCALADE
À FONTAINEBLEAU

A Chloé, Marc'O, Raphaël, Tim-Olivier et Gounard.

Pourquoi Bleau ?
Parce que c'est unique, qu'il
y a l'odeur des pins comme un bord
de mer, une lande ensorcelée,
parce que le jardin de sculptures
lascive et que le toucher du grès est irrésistible

Bruno Clément

Remerciements

La réalisation du présent guide a été rendue possible grâce au soutien et à la collaboration de nombreux bleausards et autres amoureux de Fontainebleau, nous tenons à remercier particulièrement : Bernard Giraudeau, Pascal Etienne, Catherine Carré, Jean-Jacques Naëls, Grégoire Clouzeau, Philippe Le Denmat, Arnould t'Kint, Greg Loh, Jean-Hervé Baudot, Marc Le Menestrel, Philippe Campione, Michèle Morgan, Alain Ghersen, Christian Parrot… et encore merci à tous !

© Editions Arthaud, 1999
ISBN 2-7003-11-90-6

Réalisation : Libris à Grenoble
Conception graphique : studio Flammarion
Maquette : Véronique Pitte

JO & FRANÇOISE MONTCHAUSSÉ
ET JACKY GODOFFE

Escalade
à Fontainebleau

LES PLUS BEAUX
SITES ET BLOCS

GUIDES
ARTHAUD

LA FORÊT DOMANIALE DE FONTAINEBLEAU

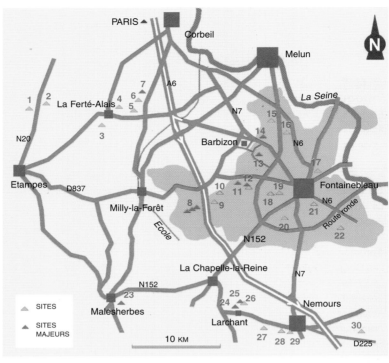

Nord
1 Étrechy
2 Chamarande
3 Le Pendu
4 Mondeville
5 Videlle / Les Roches
6 La Padôle
7 Beauvais

Forêt domaniale des Trois Pignons
8 Les Trois Pignons
9 Bois Rond / Drei Zinnen

Forêt domaniale de Fontainebleau
10 Rocher de Milly /
    Rocher de Corne-Biche
11 Franchard Isatis / Sablons /
    Hautes Plaines
12 Franchard Cuisinière / Ermitage

13 Apremont
14 Cuvier / Cuvier Rempart
15 Rocher Canon
16 Rocher Saint-Germain
17 Calvaire
18 Rochers des Gorges du Houx
19 Mont Aigu
20 Rocher des Demoiselles
21 Rocher d'Avon
22 Restant du Long Rocher

Sud
23 Buthiers
24 Éléphant
25 Rocher de la Dame Jouanne
26 Maunoury
27 Puiselet
28 Petit Bois
29 Rocher Gréau
30 Fosse aux loups

SOMMAIRE

Premiers pas

Quelle chance, vous n'avez pas encore touché les grès de Fontainebleau. Pourtant leur adhérence et leurs formes exceptionnelles sont une invite perpétuelle à l'escalade. Dans un cadre unique : déserts parsemés de bouleaux, pinèdes, hêtraies, chênaies, chaos de blocs sur quelques mille deux cents kilomètres carrés. Sans cette symbiose entre rochers et forêt, le bloc, jeu du corps et de l'esprit, serait-il si attirant ?

Vos premiers pas seront sans doute sanctionnés par des retours au sol intempestifs, le rocher ne livrant pas facilement ses secrets. Ici l'apprentissage est roi, certains passages peuvent nécessiter de nombreux essais infructueux, des mois parfois, avant d'être réalisés. Patience donc, s'il apparaît de prime abord davantage de problèmes que de solutions. Vous n'en ressentirez que plus de joie à gravir palier après palier les degrés de l'échelle de difficulté locale, laquelle est une des plus exigeantes du monde.

Vous souffrirez parfois de ne pas comprendre ou de ne pas avoir en vous les réponses aux défis posés. Mais vous trouverez toujours, où que vous grimpiez, quelqu'un qui saura vous faire saisir une sensation, un équilibre ou déchiffrer un mouvement.

Vous serez finalement conquis tant par la richesse des gestes à inventer que par la beauté du milieu. Il ne vous restera qu'à conjuguer patience et énergie, choix des sites et temps libre pour progresser ou tout simplement prendre plus de plaisir. Les conseils qui suivent rendront votre parcours, nous le souhaitons, plus aisé.

DE BRIC ET DE BLOC

TROUVER CHAUSSON À SON PIED

Une simple visite dans un magasin spécialisé, loin de vous rassurer, risque de semer quelque peu le doute dans l'esprit du débu-

tant que vous êtes. Tige basse, tige haute, ballerine, chausson, chausson ballerine, lacets, velcro, look, confort, prix, marque. Autant d'éléments qui vont interférer dans le choix du chausson d'escalade.

- **Tige basse ou tige haute ?** La pratique du bloc nécessite une bonne souplesse de la cheville, la tige basse est donc mieux adaptée.
- **Ballerine souple ou chaussure rigide ?** Sur le grès, il faut privilégier les sensations, la proximité du pied et du rocher : les ballerines seront souvent plus efficaces ; et même si elles vous font un peu souffrir au début, prenez les très ajustées à votre pied.
- **Velcro, laçage ?** Vous aurez probablement envie de défaire vos chaussures plusieurs fois par séance, pensez-y.
- **Pour le confort,** il vaut mieux s'orienter vers une forme classique plutôt que vers les nouveautés asymétriques de très haute technicité, plus adaptées à la pratique de la falaise.
- **Quant à la marque,** vous n'aurez que l'embarras du choix puisqu'un grand nombre de fabricants se partagent le marché avec chacun leurs spécificités, leur look et leur prix.
- **Côté prix** justement, les plus abordables sont autour de 250 francs et les plus chers autour de 600 francs.

Le critère prépondérant pour le bloc reste indiscutablement l'adhérence du chausson et c'est sans aucun doute ce critère qu'il faut privilégier. Chaque gomme possède ses caractéristiques propres et il est essentiel de se renseigner auprès du vendeur sur les qualités de chacune avant de choisir.

A savoir enfin que la durée de vie des chaussons va de trois mois à quelques années en fonction de la fréquence de pratique et qu'il est possible de les faire ressemeler si la tige est encore en état.

LA DIFFICULTÉ ET SA MESURE

La manière de hiérarchiser la difficulté en France, pour la pratique du bloc comme pour

DIFFICULTÉ DU CIRCUIT

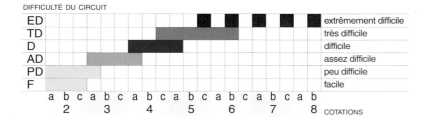

ED																		extrêmement difficile
TD																		très difficile
D																		difficile
AD																		assez difficile
PD																		peu difficile
F																		facile

a b c a b c a b c a b c a b c a b c a b
2   3   4   5   6   7   8   COTATIONS

toutes les autres activités liées à la grimpe, nous a été léguée par un certain Welzenback. Il imagina au début du siècle une échelle partant du niveau 1, la marche et allant jusqu'au niveau 6, limite des possibilités humaines de l'époque avec des subdivisions « plus » ou « moins » pour donner davantage de précision. Cette échelle est encore utilisée aujourd'hui, en bloc, en falaise et en montagne. Mais ces activités intrinsèquement proches se différencient par bien des aspects. Le niveau de difficulté d'un passage tiendra donc compte des spécificités de chacune. Pour simplifier, le bloc s'assimile au sprint, la falaise au demifond et l'alpinisme au marathon. Il est donc absolument inutile de vouloir comparer les cotations.

Coter la difficulté d'un passage en bloc dépend d'abord de critères objectifs : éloignement, taille et forme des prises, raideur du passage, temps passé pour l'ouvrir, nombre de répétitions, contraintes liées aux conditions météorologiques. Mais cette évaluation intègre aussi une part de subjectivité : la personnalité de celui qui cote, son expérience, le fait qu'il s'agisse d'une première réalisation ou d'une répétition, la méthode utilisée qui n'est pas nécessairement unique et qui va faire évoluer la perception de la difficulté. Le niveau est proposé par l'ouvreur puis confirmé par les répétiteurs. On peut dire qu'une cotation devient confirmée au bout de quelques mois voire plus en fonction de la présence ou non de répétition. Elle ne bougera guère ensuite sauf découverte d'une méthode miracle. Cela arrive parfois.

Des subdivisions plus fines sous forme de lettre complètent le chiffre exprimant la difficulté : « a » pour la limite inférieure, « b » pour la

moyenne et « c » pour la supérieure. A partir du 6a, une nouvelle subdivision « plus » permet encore d'affiner la cotation.

Le fléchage des circuits correspond à cette logique du tableau ci-dessus.

Enfin et comme si tout cela n'était pas suffisamment ardu, cette cotation, utilisée à Fontainebleau, n'est pas universelle. Mais, elle reste la référence dans la plupart des pays européens et en Afrique du Sud.

Le graphique ci-dessous est une tentative délicate de mise en relation avec le système utilisé aux Etats-Unis, notamment à Hueco Tanks (Texas) et Bishop (Californie). Il est à utiliser avec beaucoup de prudence, particulièrement dans les premiers niveaux, car les styles d'escalade y sont très différents et chaque échelle de cotation a sa propre cohérence.

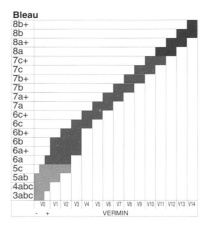

Dernière précision, si vous trouvez tel 6a+ plus facile qu'un autre passage coté 5b, sachez que cotation réelle et impression de difficulté peuvent être différentes. Cette dernière intègre le style du passage (dalle, surplomb, mur), les qualités intrinsèques de chacun (techniques ou physiques), la taille (petit ou grand gabarit) et la méthode utilisée (il en existe parfois plusieurs et il s'en découvre de nouvelles régulièrement).

Vous avez dit complexe ? C'est un euphémisme. Mais cela fait définitivement partie du charme. Gardez le sourire, ce n'est qu'un jeu, source de discussions inépuisables…

CHUTER OU NE PAS CHUTER ?

Qu'il le veuille ou non, le grimpeur a toujours rendez-vous avec la chute. C'est une réalité qui fait naturellement partie de l'activité, l'ignorer serait une erreur, comme en avoir exagérément peur. Toute chute est génératrice de risques de blessures, que l'on peut largement minimiser grâce aux considérations suivantes :

• une chute n'est jamais anodine, la maîtriser n'est pas équivalent à la banaliser.

• Le grimpeur doit toujours relever mentalement la localisation des obstacles (pierre, racines…) situés sur son aire de réception, et anticiper les trajectoires de chute. Attention aux départ sur les pavés, ils sont potentiellement très dangereux.

VOUS ÊTES PARÉS !

Avec le développement de l'escalade, la prise de risque est de moins en moins acceptée, cela conduit les grimpeurs à se parer le plus souvent possible. Pour sécuriser une chute, le pareur doit être capable de réaliser quatre actions non-exclusives :

• réduire la force d'impact, en partageant l'énergie générée par la chute ;

• rééquilibrer le grimpeur, de façon telle qu'il puisse amortir lui-même sa chute avec ses jambes ;

• rectifier sa trajectoire pour qu'il puisse éviter les obstacles dangereux ;

• donner confiance, en rendant la chute possible, ce qui souvent permet de l'éviter…

Le pareur devient ainsi un acteur essentiel dans la progression du paré, il doit être aussi concentré et attentif que le grimpeur qui lui fait confiance.

QUELQUES SITUATIONS COURANTES :

Dans un mur, une dalle ou tout autre passage peu déversant, la parade s'effectue près du centre de gravité du grimpeur et sur des parties faciles à saisir, c'est-à-dire tout simplement au niveau des fesses. Au moins pour cette raison il est toujours préférable  de demander à la personne si elle veut être parée…

La vitesse prise par le grimpeur détermine la capacité d'amortissement du pareur, celui-ci doit donc se rapprocher le plus possible du paré, sans toutefois le toucher…

Le pareur sera aussi attentif à la position de ses pouces, les fesses de grimpeurs sont plus dures et moins inertes qu'un ballon de volley-ball !

Par contre dans un surplomb, la parade aux

Le brossage, geste essentiel de l'escalade, avant et après.
Page suivante : une parade appuyée peut servir à comprendre une sensation.

fesses est dangereuse car elle s'effectue en dessous du centre de gravité (la ceinture) et va générer une rotation du grimpeur qui chutera tête la première…

C'est la raison pour laquelle, la parade doit s'effectuer au-dessus du centre de gravité, au niveau des épaules, pour que le grimpeur se redresse et retombe au sol sur ses pieds, dans une position naturelle.

Au-delà d'une certaine hauteur, la parade pose des problèmes de pertinence, non seulement pour le grimpeur qui ne pourra être récupéré correctement mais aussi pour le pareur qui risque d'être déséquilibré et de se blesser…

Il est généralement préférable de se rapprocher le plus possible du grimpeur pour pouvoir modifier précocement une trajectoire dangereuse

avant que l'énergie générée par la chute ne rende toute intervention illusoire…

Dans des situations particulièrement dangereuses ou complexes, on peut être amené à constituer une parade à plusieurs (voire même à parer le pareur).

— ✳ —

Kaléidoscope

Premiers pas bleausards à Apremont en 1897.

1889 PREMIERS PAS BLEAUSARDS

Ce serait une gageure d'espérer pouvoir attribuer la paternité du premier pas sur un bloc à quelqu'un. Il est en revanche possible de dater l'intérêt que les grimpeurs ont porté consciemment aux rochers de Fontainebleau. Cette gravure de la fin du siècle dernier permet d'avancer 1889 comme date plausible.

Qui aurait alors pu penser qu'un jour, l'escalade de bloc s'émanciperait au point de devenir une pratique reconnue au même titre que le grand alpinisme ?

1913 LES CHAUSSURES
DE MONTAGNE AU PLACARD

Ouf ! Heureusement que Jacques de Lépiney a vite fait mettre au placard les chaussures de montagne sans quoi notre terrain de jeu n'aurait pas la même physionomie aujourd'hui

1935 ENFIN
UN CHAUSSON D'ESCALADE

Pierre Allain, grand alpiniste, n'en est pas moins l'un des plus éminents grimpeurs de bloc du siècle. On lui doit notamment cette révolution qu'est le chausson d'escalade ; il en fit fabriquer à la pièce, à l'aube des années quarante, pour ses amis bleausards

Pierre Allain invente le chausson d'escalade.

206	l'angle du cuvier (sorti o A)		II	
-	la bizut (sortie B)		VIa	
207	la talle aux 2 arêtes voie normale		IV	
207A	"	traversée supérieure	V	
207B	"	traversée inférieure	V	
208	"	directe de gauche	V	
209	"	directe de droite	V	sup.
210	"	arête Sud	IV	sup.
211	sortie A	traversée Sud	VIa	
-	sortie B	la marie rose (sort.dir.)	VIb	
212	sortie A	face Sud	V	inf.
	sortie B	la cocktail	VIc	
212B	"	la bidule	V	sup.
213	"	la 3° arête	VIa	
213B	"	la 4° arête	VIf	
214	"	face nord	V	
215	"	angle nord	IV	sup.
215B	"	la jocker	VIf	
216	le coin du Suzanne		V	sup.

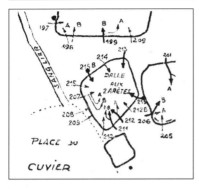

1947 LES PETITES FLÈCHES

Pourquoi de petites flèches sur les cailloux ? Fred Bernick a créé ce circuit, sorte d'alpinisme à l'horizontal, comme succédané d'une course en montagne. L'entraînement, inhérent aux grands exploits alpins, passait nécessairement par une préparation physique. Le chaos du Cuvier Rempart fut donc le théâtre du premier circuit, parcourant les lignes de force du massif et permettant de s'élever pour parvenir au dernier numéro, modeste sommet du Rempart. Ce jour de 47, Fred Bernick a indiscutablement innové et favorisé le développement d'une pratique spécifique d'escalade à Bleau

1945 PREMIÈRE MÉMOIRE DU BLOC

Maurice Martin aura en cette année, plus tristement célèbre pour sa référence à des joutes moins pacifiques, l'auguste privilège d'être le premier à répertorier les blocs du Bas Cuvier. Ce premier topo d'escalade est un peu l'aïeul de notre livre et nous lui devions bien cet hommage.

INTEMPORELS OBJETS BLEAUSARDS

Brosses, tapis, pof et magnésie, crash pad, ballerines et tutti quanti... Tant d'objets qui ne sont aujourd'hui plus du tout considérés comme de futiles gadgets, mais bel et bien comme parties intégrantes d'une activité, source perpétuelle d'évolutions liées à l'imagination des acteurs. Ces objets ont d'ailleurs largement dépassé le cadre de la simple pratique en forêt de Fontainebleau puisqu'ils accompagnent les grimpeurs sur tous les sites de bloc du monde.

KALEIDOSCOPE

1982 INNOVATION DANS LES GOMMES

La résine injectée dans la semelle des chaussons d'escalade par Yvon Chouinard représente une véritable révolution. A l'instar des pneus de formule un, les semelles résinées permettent une adhérence qui croît dès lors qu'elles s'échauffent par frottement. A noter qu'il faudra attendre encore cinq ans avant que la majorité des grimpeurs, plus attirés alors par les chaussons rigides, l'adoptent largement.

1997 http : //www.bleausards.fr

A l'approche du troisième millénaire, l'escalade de bloc entre de plain-pied, grâce aux nouveaux outils de communication, dans l'univers virtuel. Il est loin le temps où les pionniers ne se retrouvaient pour discuter de leurs projets que dans leurs bivouacs, chaque weekend. Ils pianotent aujourd'hui sur leur clavier pour étancher leur soif de potins. En les rejoignant sur la Toile, vous verrez qu'ils n'ont rien perdu de leur passion.

1998 PLUS DOUCE SERA LA CHUTE

Le matelas de réception ou crash pad est en train de prendre le pas sur le célébrissime paillasson des bleausards de la première heure. Nos amis américains en ont créé le concept à la fin des années quatre-vingts avant que son usage ne se développe chez nous. Il n'est plus rare aujourd'hui de croiser un grimpeur avec ce nouvel outil dont la vertu première est d'amortir les chutes à court terme et de préserver le dos à plus longue échéance.

2010 DEMAIN PEUT-ÊTRE

Reprenant le principe du coussin de sécurité utilisé dans les véhicules automobiles, une société française, a mis au point une ceinture destinée à protéger les grimpeurs. En cas de chute de plus de deux mètres, un capteur déclenche instantanément le gonflement de coussins destinés à protéger le dos.

2010, visionnaires ou moqueurs ?

Mode d'emploi

SITES, CIRCUITS ET VOIES

Vous trouverez pour chaque site choisi une présentation et la liste exhaustive des circuits existants ; nous mentionnons aussi les voies non balisées dites « hors circuit » ; quand elles sont éloignées des circuits, elles sont signalées en « hors site ». Ainsi, au 95.2 où sont présents quatre circuits, des voies non-balisées et des voies hors site, l'information se présente symboliquement de la façon suivante :

CIRCUITS		
Jaune PD+	❑	*le carré indique l'existence d'un circuit non-décrit*
Bleu D	●	
Rouge TD-	●	*le rond coloré indique que les circuits sont décrits*
BLANC ED-	○	*(cartes et tableaux de cotations)*
Hors circuit	*X*	*la croix indique la description des voies non-balisées*
Hors site	★	*l'étoile indique la description des voies hors site autour du 95.2*

REPERAGE ET COTATIONS

Les sites d'escalade de Fontainebleau, par la densité des rochers et des circuits, sont d'une grande diversité. On se repère, par exemple, plus facilement aux Rochers des Potets que dans les Gorges d'Apremont. Nous avons donc choisi de ne pas organiser l'information de façon unique :
• dans le cas d'une faible densité de passages, le support de l'information sera la numérotation classique des fiches circuits ;
• autrement, l'information sera basée sur une numérotation des blocs et de la façon suivante :

PRINCIPE DE NUMÉROTATION

• les blocs d'escalade sont numérotés sur chaque site ou zone de 1 à n,
• sur chaque bloc, les voies sont repérées :
• par leur numéro dans le circuit,
• ou par une lettre minuscule pour les voies remarquables non balisées,
• les voies hors site de haute difficulté sont identifiées par une lettre majuscule.

CARTE

Dans un souci de lisibilité et de facilité de repérage, chaque carte indiquera :
• soit les courbes de niveaux, pour les zones à relief très marqué comme à Apremont,
• soit les zones ombragées, comme à la Roche aux Sabots.

L'orientation générale situe, le plus souvent possible, le Nord vers le haut des cartes.

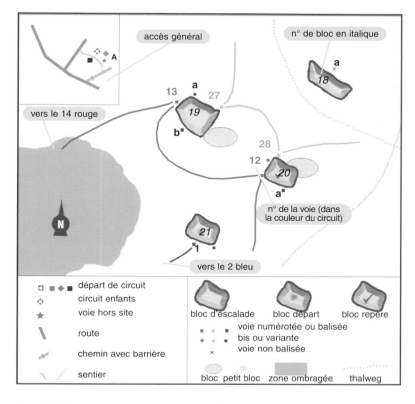

La carte indique :
- les numéros 27 et 28 d'un circuit jaune,
- les numéros 12 et 13 d'un circuit rouge,
- le numéro 1 d'un circuit bleu et son bloc-départ,
- 3 voies de haute difficulté, balisées et non-numérotées, les passages (a) et (b) sur le bloc 19, et (a) sur le bloc 20,
- 1 voie de haute difficulté, non-balisée, le passage (a) sur le bloc 18,
- 1 bloc-repère, remarquable par sa place, notoriété ou hauteur, et qui aide à se situer,
- sur la carte d'accès, une voie de haute difficulté hors site est signalée par la majuscule A.

TRAVERSÉES ET COTATIONS

- Généralement, les traversées sont réversibles ou mêmes susceptibles d'aller-retour, les possibilités de jeu étant infinies, seul le sens habituel est indiqué. Par exemple, traversée D>G indique une traversée se déroulant de la droite vers la gauche.
- Le symbole / indique des différences notables de cotation, provenant de la méthode utilisée.

COMMENT TROUVER UNE INFORMATION ?

Une liste générale, en fin d'ouvrage, regroupe les voies pour les principaux sites ; l'information y est organisée de telle façon que la connaissance d'un éléments, nom, n° dans la couleur, emplacement (n° du bloc sur la carte) vous permettent l'accès à une description complète.

— ✳ —

QUESTIONS / REPONSES

Quelle est la cotation d'une voie dont la situation est connue ?

liste générale

B	V	Cc	Ct	N	O
•	•	×	×	×	×

n° de bloc et n° de voie

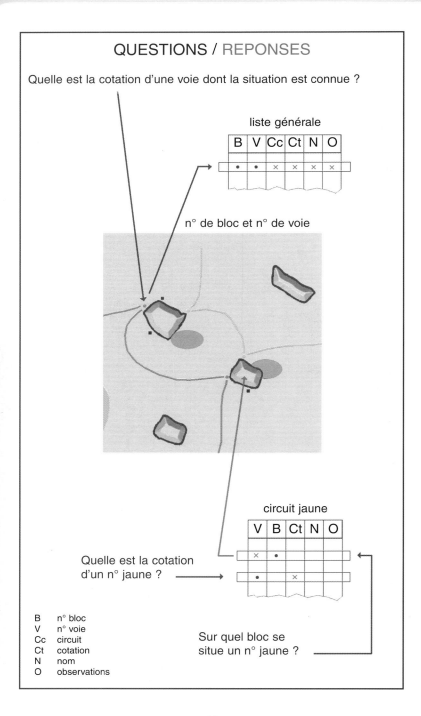

circuit jaune

V	B	Ct	N	O
×	•			
•		×		

Quelle est la cotation d'un n° jaune ?

B   n° bloc
V   n° voie
Cc circuit
Ct cotation
N   nom
O   observations

Sur quel bloc se situe un n° jaune ?

MODE D'EMPLOI

LES PICTOGRAMMES

La multiplicité des sites et des massifs offre une grande diversité dont le grimpeur doit pouvoir tirer parti. Nous avons retenu six critères qui nous semblent essentiels pour le choix d'un lieu d'escalade : les pictogrammes qui y font référence vous permettront de trouver plus facilement l'endroit le plus approprié à vos besoins du moment, météo, exposition, fréquentation ou humeur du jour. Sont systématiquement indiqués :

• la fréquentation (de calme à très fréquenté, en pensant d'abord au week-end) ;

• l'ensoleillement, d'ombragé à plein soleil ;

• la possibilité de grimper rapidement après une bonne averse (liée à la prise au vent générale du massif) ;

• l'engagement des passages (de très peu à l'exposition la plus totale) ;

• le côté plus ou moins « pratique », pour s'y rendre en famille ;

• enfin la distance du parking au circuit le plus proche, en mètres.

Le charme des repères utiles.

Loïc fait patte de velours dans La dalle de fer.

LE CUVIER

Michel Libert, inventeur
du septième degré.

Les clés du royaume
Michel Libert, pressenti par
Robert Paragot à la fin des
années cinquante pour être
le digne fils spirituel des
« Cuviéristes » se vit alors
confier à la fois le bivouac
du maître et,
symboliquement mais très
solennellement, les clés du
Bas Cuvier avec pour
consigne d'en faire bon
usage. Ce qu'il fit d'ailleurs
puisqu'il fut à l'origine de
nombreuses premières
dont la plus célèbre reste
L'abattoir, premier 7a de
Fontainebleau.

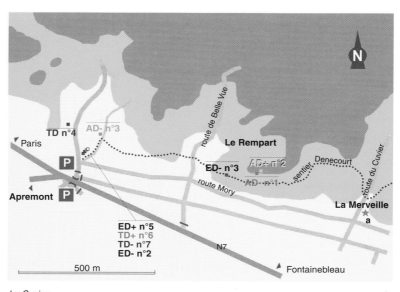

Le Cuvier.

Bas Cuvier

Le temple de l'escalade à Fontainebleau... c'est depuis toujours le site préféré des générations de grimpeurs qui se sont succédées et ce succès ne se dément pas. D'abord parce qu'en l'absence d'automobiles pour se déplacer, avant et juste après guerre, c'était un des endroits les plus proches de la gare de Bois-le-Roi. Ensuite parce que la concentration de rochers y est très importante et que la proximité du parking est pour le moins totale (moins de dix mètres pour les premiers rochers). Enfin parce que la texture même du grès et ses formes sont une invite évidente à l'escalade.

Le Bas Cuvier a été à l'honneur un grand nombre de fois à travers les illustres grimpeurs qui ont posé successivement les bases du sixième et du septième degré. La réputation de beaucoup de passage a largement dépassé les frontières, augmentant encore la côte de popularité du lieu. Aujourd'hui encore, ce site mérite largement son surnom de laboratoire du geste puisqu'il n'est pas une saison qui n'apporte son lot de nouveautés.

Chaque circuit est une forme de quintessence de l'art du bloc et quelques-uns des problèmes hors circuits comptent parmi les plus difficiles du monde. La spécialité du site : les prises rondes et plates. Elles sont le mets de choix des spécialistes locaux ; mais quelque peu indigestes pour les non-initiés, notamment les visiteurs qui entament leur périple bleausard ici.

Le défi des boîtes de sardines

Voici le bien curieux test que réservaient aux nouveaux venus les grimpeurs du Cuvier, pour les intégrer au « Cuvier academic club », dans les années quarante. Le grimpeur désirant entrer dans ce clan très fermé se voyait proposer la dalle aujourd'hui fléchée en 40 bleu. Sur chaque gratton était posé le chant d'une boîte de sardine et il était essentiel de réussir le passage sans en faire tomber une seule, et bien entendu du premier coup. Essayez un peu pour voir !

Bas Cuvier

circuit orange

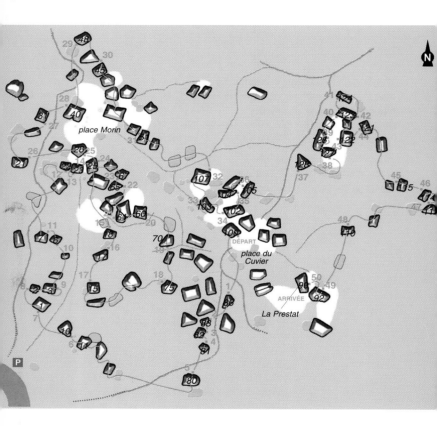

Dany Crenn dans le mouvement acrobatique de L'Abbé Résina.

C'est un faux circuit facile. En effet, sa grande popularité a transformé de nombreux passages en patinoire à mouche. Il nécessite comme tous les blocs de ce massif une grande habitude des préhensions. Il n'est pas à conseiller aux tout débutants qui en ressortiraient sans doute un peu frustrés. La rançon du succès en quelque sorte.

CIRCUIT ORANGE

voie	bloc	cotation	nom	voie	bloc	cotation	nom
0	100	2a	La fissure de la place du Cuvier	26	21	2a	Le "trois"
1	86	2b	Le petit rétab	27	31	3a	Le petit surplomb
2	83	2c	La fissure de l'auto	28	40	3a	La rigole ouest de la solitude
3	82	3a	L'envers des trois	29	48	2b	La delta
4	81	3a	Le second rétab	30	45	2c	La fissure des enfants
5	80	2c	Le onzième trou	31	51	2a	La grenouille
6	10	2b	La sans les mains	32	107	3b	La dalle aux trous
7	1	3b	La voie de l'arbre	33	103	3a	La traversée de la dalle des flics
8	2	2b	La dalle du tondu	34	102	4a	La jarretelle
9	3	3b	L'envers du J	35	104	2b	Le zéro sup
10	6	3b	L'oreille cassée	36	105	2c	Le boulot
11	7	2b	La dalle de l'élan	37	128	2b	La dalle aux demis
12	22	2b	La petite côtelette	38	127	3a	Les tripes
13	23	2a	La fissure sud du coq	39	126	3c	La dalle du 106
14	23	2a	La traversée de la crête du coq	40	123	1c	Le coin du 5
15	18	2c	La proue	41	124	2b	Les lunettes
16	17	3a	La tenaille	42	123	2c	Les pinces
17	15	2c	La deux temps	43	122	3c	La traversée du doigt
18	75	2a	La voie bidon	44	121	2b	Les lichens
19	70	2b	La dalle du pape	45	115	2c	La verte
20	60	2a	La fissure est de la gamelle	46	114	3b	La déviation
21	61	2c	La traversée du bock	47	112	3c	Le petit mur
22	65	2c	La petit angle	48	110	2c	L'envers de pascal
23	67	2c	Le muret	49	92	2c	L'envers du réveil matin
24	25	4a	Le tire bras	50	90	3c	La Prestat
25	26	3a	Le mur aux fênes				

Bas Cuvier

circuit bleu

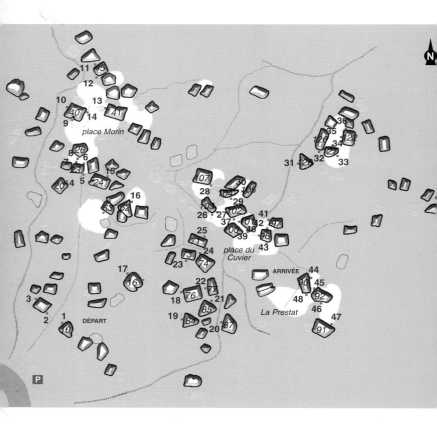

S ans doute l'un des circuits les plus homogènes de toute la forêt. De belles lignes, une grande variété de styles et beaucoup d'ampleur. Un must, sans l'ombre d'un doute. Son enchaînement reste un excellent test de forme qui permet de passer du statut de débutant à celui de bleausard confirmé tant les passages combinent force et technicité.

Dans les rochers du Cuvier, La Gaulle.

CIRCUIT BLEU

voie	bloc	cotation	nom	voie	bloc	cotation	nom
1	10	5a	La sans les mains	24	74	5a	La nouvelle
2	1	4c		25	71	5a	Le dernier des six
3	1	5a	Le surplomb nord ouest	26	103	4b	L'angle olive
3b	63	4c	La demi dalle	27	103	4c	La dalle olive
4	20	5c	Fissure Authenac	28	107	5a	La baquet
5	23	4a	Pilier	29	104	4c	La dalle d'ardoise
6	23	4c	Le coq	30	105	4c	Le 7 sup
7	23	4c	Le coq droite	31	128	3b	La dalle au demi
8	26	4a	La poule	32	126	5b	La dalle au pernod
9	40	4c	Le tuyau Morin	33	127	5b	La dévissante
10	40	4c	La solitaire	34	127	5c	Les tripes
11	45	4c	Les grattons Morin	35	122	5a	Le surplomn du doigt
12	45	4c	La dalle du réveil matin	36	122	4c	Le dièdre du doigt
13	40	5a	Le surplomb du réveil matin	37	102	5c	L'angle Authenac
14	41	4c	Fissure Morin	38	101	5c	Le jus d'orange
15	24	4a	L'inexistante	39	101	5a	La Porthos
16	62	5a	Faux ligament	40	96	5b	
17	16	4c	Le K	41	97	5b	L'Innominata
1b	16	5b	Le faux K	42	96	5b	La face nord
18	76	5b	Le fantôme	43	96	4c	Le bidule
19	87	4c	La dalle de la rouge	44	90	5a	La nationale
20	87	5b	La Borniol	45	92	4c	La fissure de la lionne
21	85	4c	Le vide ordure	46	92	5a	Les grattons du réveil-matin
22	77	5b	La fissure	47	91	5b	Le baquet normal
23	73	5b	Le coup	48	90	4c	La Paillon directe

Le rocher, le ciel et les arbres, magique symbiose.

Bas Cuvier

circuit rouge

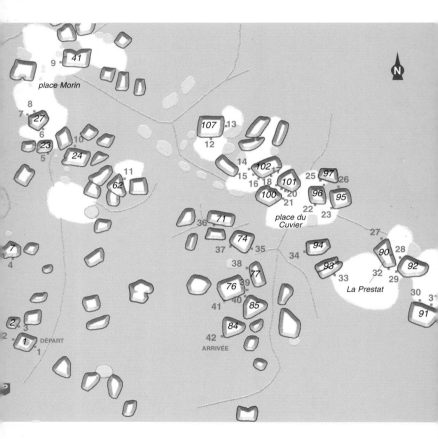

Petit clin d'œil mais grande performance qui tient encore aujourd'hui ; ce circuit a été enchaîné dans son intégralité, en moins de vingt minutes, à l'issue d'un âpre duel entre deux protagonistes de la haute difficulté : Jérôme Jean Charles et Thierry Bienvenu. Au bout d'un an d'essais, ce dernier aura le record ; le plus difficile à son avis étant d'optimiser les liaisons entre les passages pour grignoter de précieuses secondes. Autre record par le même grimpeur, hallucinant également, est celui de treize fois et demi le circuit dans son intégralité en six heures.

voie	bloc	cotation	nom
1	1	5c	L'envers du un
2	1	5c	La goulotte sans la goulotte
3	2	5c	Le trou du tondu
4	7	6a	Le trou du Simon
5	23	5c	La genouillère
6	27	5c	La gugusse
7	27	5c	Les frites
8	27	5b	La vire Authenac
9	41	6c+	La daubé
10	24	5b	La bijou
11	62	5c	Le ligament gauche
12	107	5b	La dalle au trou
13	107	5c	La voie de la vire
14	102	6b	Les bretelles
15	102	5b	L'Authenac
16	102	5b	La V1
17	102	5c	La traversée Authenac
18	101	5c	La parallèle
19	101	5c	La Leininger
20	101	6a	La Suzanne
21	100	6a	La nescafé
22	96	6a	La Marie Rose *Le premier 6a de Bleau*
23	95	5b	La bizuth
24	96	5c	La troisième arête
25	97	5c	L'angle rond
26	95	5c	L'huitre
27	90	5b	Le quartier d'orange
28	92	5c	La Nasser
29	92	5b	Le réveil matin
30	91	6a	La Couppel
31	91	6a	Les grattons du baquet
32	90	5c	La dalle du baquet
33	93	5c	La dalle au chocolat
34	94	5b	La côtelette
35	74	5b	Les esgourdes
36	71	6a	Le soufflet
37	74	5c	Le coup de rouge
38	77	5c	La bicolore
39	76	5c	La clavicule
40	85	5b	L'orientale
41	76	5c	L'ectoplasme
42	84	6a	La fauchée

CIRCUIT ROUGE >

Bas Cuvier

circuit blanc et hors circuit

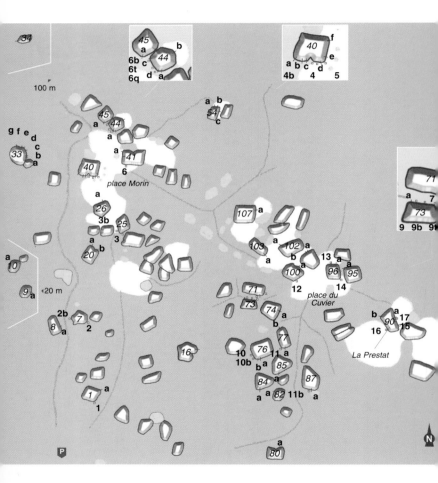

place Morin

place du Cuvier

La Prestat

voie	bloc	cotation	nom
1	1	6c	La Lili
2	7	6a	L'emporte pièce
2b	7	7c	L'aérodynamite
3	25	6a	Le dernier jeu
3b	25	6b	La Ravensbruck
4	40	6c	La charcuterie
4b	40	7b	L'angle incarné
5	40	7a	La boucherie
6	41	6c	La défroquée
6b	44	7a	L'abattoir
6t	44	7b+	Le carnage
6q	44	7c	L'abbé Résina
7	71	6b	la résistante
8	71	6c	La forge
9	73	6b	La folle
9b	73	6b	L'enclume
9t	73	7a	La rhume folle
10	76	7a	La vie d'ange
10b	76	6b	La dix tractions
11	77	6c+	La clé
11b	87	6c	La tour de Pise
12	100	6c	La chicorée
13	96	7a	Le joker
14	96	6c	Le 4ème angle
15	90	6b	La stalingrad
16	90	6c	La chalumeuse
17	90	7b+	La super Prestat

es spécialistes du coin se plaisent à dire que le circuit blanc est une véritable anthologie de la très haute difficulté depuis près de trente ans.

La grande concentration de blocs permet encore aujourd'hui d'ajouter de nouveaux problèmes à la liste déjà fort longue de passages d'extrême difficulté. Dalles, surplombs, murs et traversées, bossettes et réglettes, grattons et pentes savonneuses ; tout concourt à perpétuer le génie du lieu qu'un demi-siècle n'a pas réussi à démoder.

Tous les passages sont d'exceptionnels challenges dans leur style, réclamant patience et persévérance.

Les plus beaux blocs, ouverts principalement dans les cinq dernières années et non fléchés, sont regroupés sous la forme d'un parcours imaginaire. Parcours de rêve ou de cauchemar pour quiconque imaginera un jour enchaîner tous les problèmes proposés.

Brosser sert aussi à préserver les prises pour les autres.

Bas Cuvier

variantes HC

VARIANTES HORS CIRCUITS

bloc	voie	cotation	nom
1	a	7b	Croix de fer
8	a	7a	Platinium
9	a	7a	La tonsure
10	a	7b	Fluide magéntique
16	a	7c	Plats toniques
20	a	7a+	Le mur du feu *Pierre nécessaire au départ*
20	b	6c+	
26	a	7c	Photo sensible *Traversée D>G*
33	a1	8b	Encore *Obsession + Biceps dur*
33	a2	7c+	Obsession *Traversée G>D*
33	b	7b	Pince mi
33	c	7b+	Vers Nulle part
33	d	7b+	Vers Claire 7c *Départ assis*
33	e	7b	Biceps mou
33	f	7c+	Biceps dur *Traversée D>G*
33	g	7a	Holey Moley
34	a	7c	La Gaulle *Départ assis*
40	a	7c	Infidèle
40	b	7c	Hypothèse
40	c	7c+	Antithèse
40	d	7a	Araignée
40	f	8b	Mouvement perpétuel *Traversée boucle par l'araignée D>G*
40	e	7a	Le picon bière
41	a	7a	Cortomaltèse
44	a	6c+	Coton tige
44	b	7c/7c+	Balance *Dépend de la méthode utilisée*

bloc	voie	cotation	nom
44	c	7a	Hélicoptère
44	d	7c+	Apothéose
45	a	7a	
54	a	6c	Béatrice
54	b	6b	Sanguine
54	c	7c+	Raideur digeste
71	a	7a	La bouiffe
73	a	7a+	Fruits de la passion
74	a	8a	Digitale
76	a	7b	Kilo de beurre *Traversée G>D*
76	b	7c	Murmure
77	a	7a	la clé de droite
77	b	7a+	Casse tête
80	a	7b	Technogratt'
82	a	7a	L'aconqueàdoigt
84	a	7b	Dalle siamoise *Variante droite*
85	a	7b+	Banlieue nord *Traversée G>D*
87	a	7b	Tour de pise directe
90	a	7c	L'ange gardien
90	b	6c	L'angle
95	a	7c+	L'idiot
96	a	7b	Cornemuse
96	b	7c	Le joueur
100	a	6b+	La Marco
101	a	8a	Golden feet
101	b	7c+	Lune de fiel
102	a	7a	La Cinzano
103	a	7b	Alter mégot
107	a	8a+	Coup de feel *Ne passe plus, la prise clé a cassé*

BICEPS MOU

La petite histoire
Hiver 80, « Le biceps mou » est ouvert par Jo Montchaussé initiant une nouvelle dimension, l'escalade en toit. A l'origine coté 6b, ce problème est aujourd'hui 7b, une prise ayant cassé. Vingt ans plus tard le nombre de passages ouverts dans ce surplomb est impressionnant mais la qualité de chacun reste conforme au tout premier : remarquable. La popularité d'ailleurs est au rendez-vous.

Les passages
• Les problèmes de bloc
b : *Pince mì*, 7b
c : *Vers nulle part*, 7b+
d : *Vers Claire*, 7b+ (départ assis)

e : *Biceps mou*, 7b
g : *Holey moley*, 7a (7a+ en sortant à droite)

• Les problèmes de traversée
a1 : *Encore*, 8b (enchaînement de *Obsession* et *Biceps dur*)
a2 : *Obsession*, 7c+
f : *Biceps dur*, 7c+

LA MARIE ROSE

Situation :
numéro 22 rouge du Bas Cuvier.

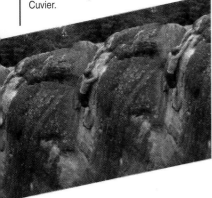

Cotation : 6a.
Caractéristiques, en deux mots : finesse et précision de placement.
Grimpeur :
Raphaël Godoffe.

1946. René Ferlet souffle la première de la *Marie Rose* à son ami Pierre Allain et lui donne le nom de sa petite amie. Sait-elle alors qu'elle restera éternellement associée au premier sixième degré de l'histoire du bloc ?
Un demi-siècle plus tard, ce magnifique passage tout en rondeurs et en finesse n'a pas pris une ride et reste l'un des plus beaux de toute la forêt dans sa difficulté.

Méthode
Un petit gratton permet de rejoindre les deux prises verticales du pas clé.
Pied droit sur la rampe plate le plus à gauche possible ; pied gauche sur une bonne verticale ; la pression se met sur la main droite et le pied gauche.
Une fois le développé réalisé sur pied gauche, la main gauche rejoint une rondeur.
Le pied droit remonte alors sur une petite adhérence pour permettre à la main droite de lâcher la verticale et rejoindre le trou de sortie en passant par un plat intermédiaire.
La sortie n'est plus qu'affaire de calme.

Cuvier Rempart

Le Cuvier Rempart a de tout temps fasciné les grimpeurs. Le sentier Denecourt qui traverse son chaos en est sans doute à l'origine.

C'est ici qu'ont été tracés les premiers circuits d'escalade de l'histoire en 1947. La succession de montées, de descentes et de sauts donnaient ainsi aux grimpeurs de l'époque un exercice suffisamment long pour rappeler une petite ascension.

Plus près de nous, ce site a contribué largement au renouveau avec l'ouverture de nombreux passages hors circuits où engagement, complexité et extrême difficulté se conjuguent. Le long de la route Mory, long chemin qui relie le Bas Cuvier à La Merveille, on trouve sans doute ce qui se fait de plus exigeant à Fontainebleau.

L'encadré sur le très haut niveau sera l'occasion de faire le point sur les blocs de 7c à 8b+ dans toute la forêt. Réservé aux amateurs d'extrême.

Copie conforme

On attribue la paternité de beaucoup d'innovations aux Américains. Certes le tout premier grimpeur à reproduire un passage artificiellement en inventant la machine à fissure s'appelait Tony Yaniro. Toutefois, hommage doit être rendu à Régis Guillaume, professeur de philosophie et grimpeur à ses heures, pour avoir recréé chez lui un passage pressenti pour devenir le plus difficile de la forêt. Il a poussé le perfectionnisme jusqu'à fabriquer une structure artificielle spécifiquement adaptée à ce passage. Et ce avant même qu'il ne soit réalisé (et qui deviendra Fatman). Prise par prise, en mesurant au millimètre près les distances, il a ainsi reproduit en copie conforme et au terme d'un an de travail minutieux ce bloc qui a effectivement marqué l'avènement d'une nouvelle difficulté.

Qui peut se vanter d'avoir dans sa cave un des fleurons de l'art bleausard ? Ce qu'il faut retenir de cette histoire, c'est surtout l'infinie passion que suscitent depuis un siècle les rochers de Fontainebleau.

Marc Le Ménestrel dans la fantastique arête de La Merveille, ligne limpide.

Cuvier Rempart

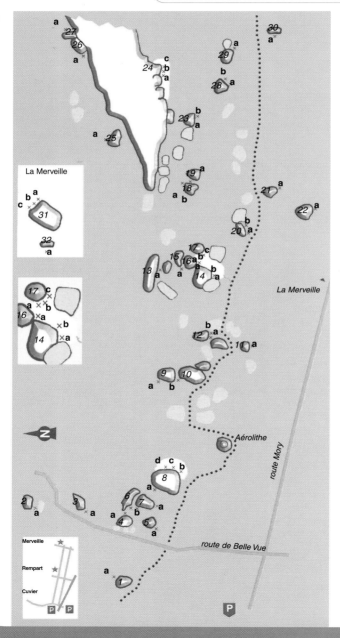

bloc	voie	cotation	nom
1	a	8a+	Souvenir d'été *Traversée G>D*
2	a	7c+	Les pieds nickés *Traversée G>D*
3	a	7b	On a volé le fresbee *Traversée G>D*
4	a	7a	Festin de pierre
6	a	6a	*Plusieurs variantes*
7	a	7b	Angel face *Engagé*
7	b	7c	*Traversée D>G*
8	a	7b/8a	Les petits anges *Traversée G>D*
8	b	6c	Carré d'as *Arrivée circuit noir n°2 Trivellini*
8	c	6c+	Duroxmanie
8	d	7c	Michel Ange
9	a	7c	Massacre *Traversée G>D, aller-retour 8b*
9	b	7b	Gabonis
11	a	7c+	T. Rex
12	a	8a	C'était demain
12	b	6c+	Troisième ciel
13	a	6c+	Johannis *Traversée D>G*
14	a	7c	Big boss
14	b	7c+	Fourmis rouges
15	a	8a+	Dessous chics *Traversée G>D*
16	a	7c	Tristesse
17	a	7c+	Big golden
17	b	8a	Atrésie
17	c	7a+	Blitz
18	a	5c	L'angle Allain
18	b	6c	Laser
19	a	6c+	
20	a	8b	Fatman
20	b	8b	Gourmandise
21	a	7c+	Cyclopède *Traversée D>G*
22	a	6c	
23	a	6a	
23	b	7c	Noir désir
24	a	8b	Miroir des vanités *Traversée G>D*
24	b	7c+	Haute tension
24	c	8a	Hyper tension
25	a	7a+	Salathé wall
26	a	7a+	Philantropie
27	a	7b	L'émeraude
28	a	7a+	Où are you
28	b	7c	Baisers volés
29	a	8b	Khéops
30	a	7c+	Verdict *Départ assis*
31	a	8a	Merveille
31	b	7a+	Sourire de David
31	c	7c	Dalle de fer
32	a	7c	Swell *Traversée D>G*

PASSAGES CHOISIS

Sur la sublime boule de Big golden, *Laurent Avare apprivoise un 8a.*

Hors circuit

L'histoire des vingt dernières années montre une vive activité en matière d'ouverture de nouveaux passages. En raison de leur éparpillement et de leur niveau de difficulté, une grande partie de ces blocs n'a pas été fléchée. Le bouche à oreille, les chroniques figurant dans les revues spécialisées, les nouveaux topos guides informent de leur discrète existence. Sorte de complément à l'escalade en circuit, le bloc à bloc va droit à l'essentiel et est devenu totalement autonome par rapport à toutes les autres formes de grimpe. C'est cette spécificité-là que l'on retrouve dans le « hors circuit » : partir grimper pour un seul passage, perdu au milieu de nulle part puis aller ensuite ailleurs en essayer un autre. Le geste pour le geste hors de toute notion d'enchaînement et de récupération. Signe des temps, signe aussi d'une passion vivante.

Apremont est une des plus vastes entités de la forêt de Bière, ancêtre de la forêt actuelle. Le site s'étire des portes de Barbizon, village à la renommée internationale, au célèbre chêne Jupiter âgé de bientôt sept cents ans. C'est dire si, au-delà de tout l'intérêt lié à l'escalade proprement dite, cet endroit est particulièrement populaire.

Vous découvrirez à loisir, les circuits balisés qui ne manquent pas dans les Gorges, vous vous perdrez peut-être dans son désert et oserez découvrir de nouveaux passages à l'Envers d'Apremont ou aux Bizons.

Vous ne manquerez pas non plus, après une visite à l'auberge Ganne, musée de Barbizon, d'aller parcourir le « chemin des peintres » qui les inspira.

Jean-Hervé Baudot dans Onde de Choc.

Apremont.

500 m

Barbizon   Carrefour du Bas Bréau

Carrefour Félix-Herbert
route de Barbizon à Fontainebleau

Carrefour du Clair Bois

N7

TD n°1   PD n°3

Envers d'Apremont

AD n°4   100 m   PD+ n°1
125 m

Apremont Bizons

AD n°3

TD n°1   Carrefour des Gorges d'Apremont

Gorges d'Apremont

Désert d'Apremont

PD+ n°2

125 m   100 m

Gorges d'Apremont

On raconte qu'il serait impossible à quiconque de décrire où se terminent les circuits tant les chaos qu'ils traversent sont inextricables et décourageraient les plus ambitieux. C'est dire la complexité de cet immense site. Des micros montagnes en fait. L'ensoleillement et l'abondance de passages de tous niveaux expliquent qu'il soit l'un des plus populaires de la forêt depuis les débuts de l'escalade.

S'y retrouver tient parfois de l'exploit ; gageons que nous parviendrons ici à rendre l'orientation plus aisée qu'elle ne l'est habituellement.

Il n'est pas rare, que malgré la densité des passages et des circuits, on tombe sur un rocher vierge ou sur un problème en gestation. Toutes les composantes du bloc y sont réunies avec, comme piment, une pointe d'engagement qui n'est pas sans séduire certains amoureux de la verticale.

Ce labyrinthe de grès est l'un de ceux qui sèchent le plus rapidement de toute la forêt après la pluie. Les cotations des circuits (ED en particulier) sont historiques et pourront paraître sévères.

Petit clin d'œil de l'histoire, les gorges d'Apremont ont séduit, bien avant les grimpeurs, les impressionnistes de l'Ecole de Barbizon. Leurs toiles désormais célèbres sont un éloge intemporel à la beauté des lieux.

LES ZONES

Pour faciliter la lecture des cartes et des tableaux, le site a été divisé en quatre zones, de la zone A à l'ouest à la zone D à l'est. Les blocs sont numérotés zone par zone.

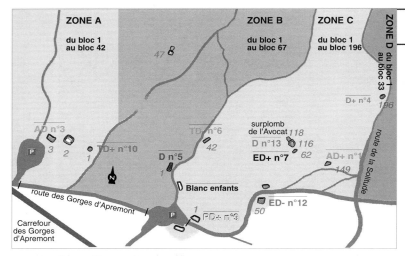

Les Gorges d'Apremont.

Pof versus magnésie

Si l'on devait résumer Bleau dans un symbole fort, il est bien certain que ce serait le pof.

Comment cette idée de constituer une petite bourse de résine pilée avec un morceau de tissu est-elle née ? L'origine en est assez mystérieuse. Ce qui est certain, c'est qu'au départ le pof était seulement posé dans une poche ouverte à même le sol. Quelqu'un a eu l'idée ingénieuse de la fermer par un lacet et d'en faire cette petite boule qui « poffe » les semelles des chaussures ou une prise. Pof, pof, un petit son sourd et caractéristique qui a donné un nom à cet objet si improbable.

La magnésie est largement utilisée en gymnastique car elle limite la sudation. Et c'est tout naturellement un gymnaste – John Gill – qui en introduira l'usage en escalade, aux Etats-Unis dans les années cinquante. Mais ce n'est qu'à la fin des années soixante-dix qu'elle fait son apparition à Fontainebleau. Son usage, dès le départ très controversé, est aujourd'hui dans les faits d'usage courant.

Pollue-t-elle plus que le pof ? Visuellement, certainement, autrement le débat est plutôt culturel. Ainsi à l'étranger et particulièrement aux Etats-Unis, l'usage du pof est formellement banni par les grimpeurs et entraîne toujours des remarques acerbes et désagréables, car le pof « vitrifie » la surface des prises et diminue l'adhérence tant recherchée...

Vérité en deçà, erreur au-delà ?

Le débat reste utile, et de plus en plus de grimpeurs utilisant la magnésie nettoient les traces de leur passage avec une brosse à dent. La responsabilité est-elle plus efficace que l'interdit ?

Ɡorges d'Apremont

circuit rouge et blanc

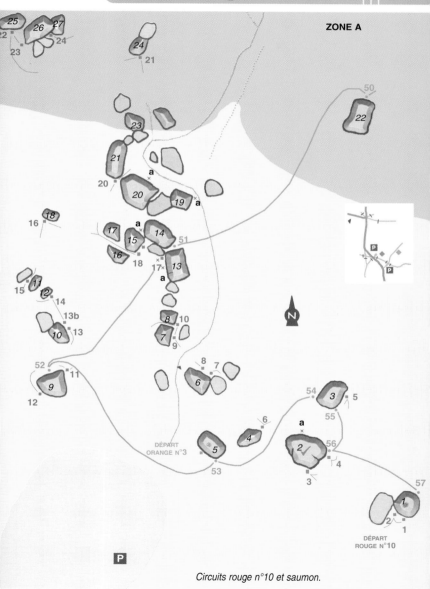

ZONE A

Circuits rouge n°10 et saumon.

DÉPART ORANGE N°3

DÉPART ROUGE N°10

L'arrivée du « jaune » des Gorges d'Apremont.

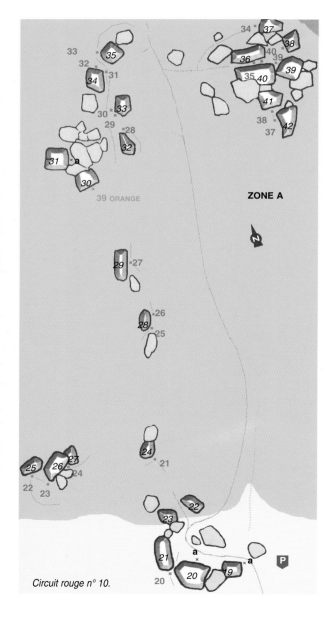

ZONE A

39 ORANGE

Circuit rouge n° 10.

voie	bloc	cotation
1	1	5c
2	1	6a
3	2	6a
4	2	5c
5	3	5c
6	4	5b
7	6	5b
8	6	5c
9	7	5c
10	8	5c
11	9	5c
12	9	5b
13	10	5c
13 b	10	5c
14	12	5c
15	11	5c
16	18	5b
17	13	5b
18	15	5c
19	15	5b
20	21	5b
21	24	5b
22	25	5c
23	26	5b
24	27	5c
25	28	5c
26	28	5b
27	29	5b
28	32	5c
29	33	5b
30	33	5c
31	34	5a
32	34	5c
33	35	5a
34	37	5a
35	40	5b
36	40	5c
37	42	4c
38	41	5b
39	40	5a
40	38	5c

Gorges d'Apremont
circuit bleu outremer

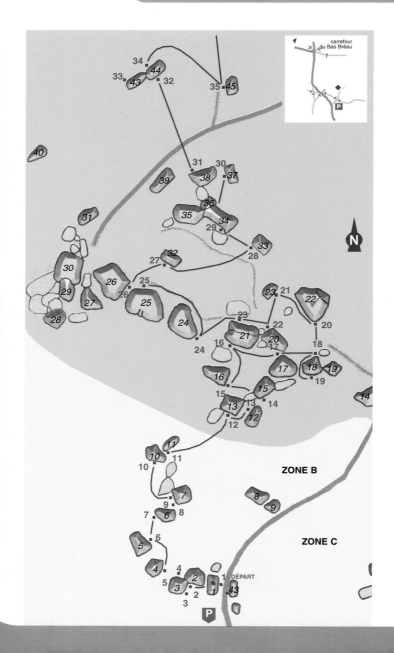

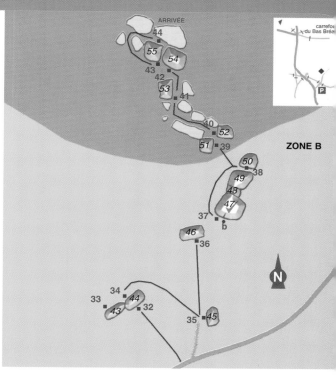

Escalade plaisir à Apremont.

Gorges d'Apremont

circuit bleu ciel

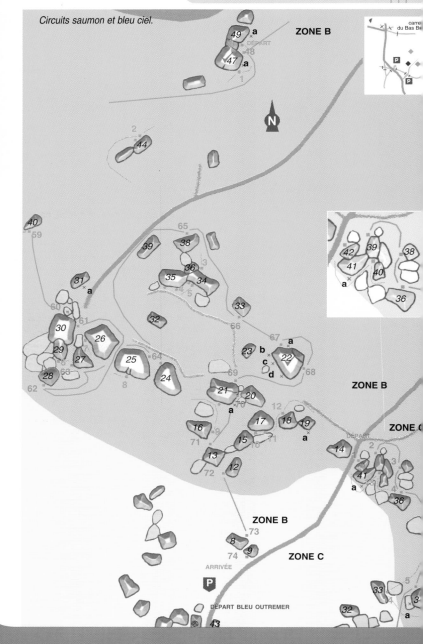

Circuits saumon et bleu ciel.

Françoise Montchaussé sur l'arrivée du « saumon » à Apremont.

CIRCUIT BLEU CIEL (DIT MIZRAHI), ZONE B ET C

voie	bloc	cotation	zone	nom
0	49	5c	B	Le croque mitaine
1	47	5c	B	
2	44	5c	B	L'esprit du continent
2b	44	6c	B	Le poulpiquet
3	36	5a	B	L'anti gros
4	34	4b	B	L'effet yau de poele
5	34	4a	B	La bagatelle
4b	35	5c	B	
4t	35	5c	B	
6	29	7a	B	Le toit tranquille
7	26	6a	B	Le gibbon
8	25	6a	B	L'empire des sens
9	16	5b	B	La pavane
10	17	4c	B	Le sabre
11	17	4c	B	Le goupillon
12	18	6c	C	Le mur des lamentations
13	40	5a	C	Le rince dalle
14	33	5c	C	L'ostétoscope
15	108	5c	C	Les fesses à Simon
16	112	5b	C	La michodière
17	59	4c	C	L'across en l'air
18	62	5a	C	L'astrolabe
19	66	5a	C	La vessie
20	65	4c	C	La lanterne
21	65	5b	C	Le pont mirabeau
22	70	5b	C	La super simca
23	74	6a	C	Ignès
24	83	5c	C	La salamandre
25	83	5c	C	La vie lente
26	86	5c	C	La muse hermétique
27	92	5c	C	L'angle obtus
28	90	5b	C	Icare
28b	90	5c	C	
29	166	5b	C	Le merle noir
29b	160	5b	C	L'adieu aux armes
30	161	5b	C	La gnose
31	153	5a	C	La clepsydre
31b	118	5b	C	Le surplomb de l'avocat
32	118	5c	C	La mélodie juste
32b	118	6c	C	Le soupir
33	119	5b	C	Le piano vache
34	122	5c	C	Le surplomb à coulisses
35	121	6a	C	La sortie des artistes

Si un seul mot venait à l'esprit à l'évocation de ce circuit, ce serait « exigence ». Le très original tracé réalisé par l'alpiniste Robert Mizrahi est une anthologie de l'escalade en fissure. Une quarantaine de voies hors norme qui sont pour la plupart peu réalisées, moins à cause de leur difficulté que du style qu'elles proposent : mélange de technique propre aux fissures et d'engagement voire d'exposition. Le passage le plus original reste sans doute un toit qui n'a de tranquille que le nom et dont les verrous aléatoires restent longtemps dans le souvenir de quiconque le réalise.

Magnésie grise
La magnésie arrive en France et à Fontainebleau à la fin des années soixante-dix, au grand dam de beaucoup de bleausards qui la jugent polluante, disgracieuse et inutile. Vers le milieu des années quatre-vingt, elle est pourtant largement utilisée par les grimpeurs et pour faire taire les esprits chagrins, certains eurent l'idée de vanter les mérites d'une nouvelle magnésie, couleur rocher celle-là, qui ne serait alors absolument pas repérable. A y regarder de plus près il ne s'agissait que d'un mélange de noir de fumée et de magnésie destiné davantage à perpétuer l'esprit frondeur des bleausards qu'à une solution miracle.

Gorges d'Apremont

circuit saumon

La célèbre Balafre, *haut, si haut.*

CIRCUIT SAUMON, ZONES A, B, C

voie	bloc	cotation	voie	bloc	cotation	voie	bloc	cotation	voie	bloc	cotation
ZONE C			20	81	6a	37	65	5a	56	2	5a
1	42	5c	21	88	5a	38	64	4c	57	1	4c
2	39	4a	22	93	5b	39	64	4a	**ZONE B**		
3	37	4a	23	94	5a	40	63	4a	58	41	4a
4	36	4a	24	118	6a	41	62	4b	59	40	4c
5	34	3c		La balafre		42	61	4a	60	30	4b
6	29	4c	25	132	6a	43	60	5c	61	30	5b
7	27	5a	26	112	5b	44	59	5a	62	28	4b
8	55	5a	27	108	5a	45	57	4a	63	27	4b
9	53	5c	28	110	4c	46	58	3c	64	25	4c
10	54	4c	28 b	104	5c	47	56	5c	65	38	5b
11	56	5b	29	152	5c	48	47	5c	66	33	5c
12	58	4a	30	153	5b	49	42	4c	67	22	5a
13	61	4c	31	165	5a	**ZONE A**			68	22	4c
14	63	4c	32	176	4a	50	22	4a	69	21	4c
15	64	5a	33	173	5c	51	13	4c	70	21	4c
16	67	4a	34	179	4a	52	9	4a	71	13	5a
17	70	5b	**ZONE B**			53	5	4a	72	12	5a
18	71	4c	35	67	4a	54	3	4a	73	8	4b
19	79	5a	36	66	4a	55	3	5b	74	9	4c

a couleur en elle-même interpelle. Pourquoi pas bleu ou rouge ? C'est une page d'histoire, écrite par deux alpinistes de renom Jacques Reppellin et Pierre Porta, que l'on retrouve sans une ride et avec toujours autant de plaisir. Avec ses soixante-quatorze numéros, c'est peu dire qu'il est long à enchaîner. Il a pourtant été réalisé en moins de quarante-cinq minutes. L'ampleur de certains passages ne laisse pas indifférent. Et s'il s'avère parfois difficile à suivre, dans le labyrinthe des rochers d'Apremont, cela fait partie du plaisir.

Circuits saumon et bleu ciel.

Gorges d'Apremont

circuit jaune

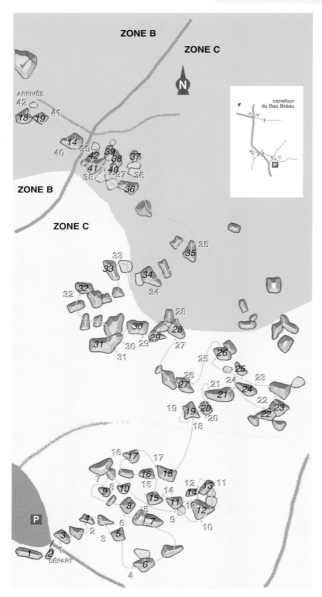

	voie	bloc	cotation
CIRCUIT JAUNE, ZONE C	1	3	2b
	2	4	2b
	3	5	2a
	4	6	2a
	5	7	2b
	6	8	2a
	7	9	2b
	8	10	3a
	9	11	3c
	10	12	2b
	11	13	2b
	12	14	2b
	13	12	2b
	14	15	2c
	15	16	3b
	16	17	2a
	17	18	2c
	18	19	2a
	19	19	3a
	20	20	3c
	21	21	3a
	22	22	3a
	23	24	2b
	24	25	2c
	25	26	2a
	26	27	2c
	27	28	2c
	28	28	2b
	29	30	2a
	30	31	3a
	31	31	2a
	32	32	2c
	33	33	2c
	34	34	2c
	35	35	2c
	36	36	2c
	37	40	2c
	38	41	2c
	39	42	2a
	40	14	3a
	41	19	2c
	42	18	2c

Gorges d'Apremont

circuit orange

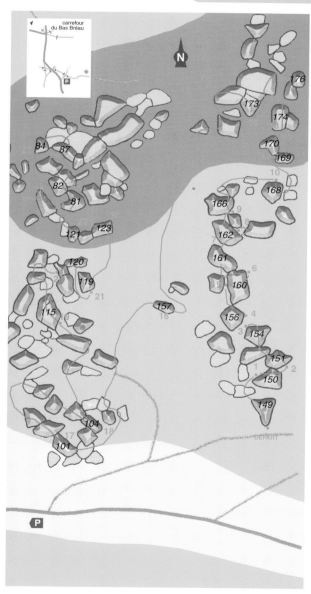

Jeux d'ocre à Apremont.

CIRCUIT ORANGE, ZONE C

voie	bloc	cotation
0	149	3b
1	150	4a
2	151	3c
3	154	3b
4	156	3b
5	160	3b
6	160	3b
7	161	4b
8	162	3a
9	166	3b
10	168	4c
11	169	3a
12	170	3c
13	174	3a
14	176	3b
15	173	4a
16	157	1b
17	101	3c
18	104	4b
19	115	2b
20	120	4b
21	119	3c
22	123	3a
23	121	2b
24	81	3b
25	82	3c
26	87	4c
27	84	3c
28	82	3b

Gorges d'Apremont
circuit bleu baltique

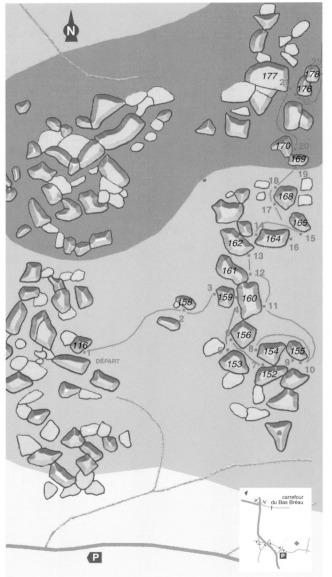

voie	bloc	cotation
1	116	4c
2	158	4b
3	159	4a
4	160	4a
5	153	4c
6	156	4b
7	152	4a
8	154	4b
9	155	4b
10	155	6a
11	160	5a
12	161	4a
13	162	4b
14	164	3c
15	165	4c
16	164	4b
17	168	4c
18	168	4b
19	169	4a
20	170	4c
21	177	5a
22	176	4b
23	178	4b
24	181	5a
24b	182	4c
25	183	3c
26	184	4b
27	185	4b
28	186	4b
29	187	5b
30	189	3c
31	188	4c
32	189	4b
33	190	4c
34	190	4b
35	190	4a
36	191	4a
37	192	4c
38	194	3c
38b	193	4c
39	195	4c

carrefour
du Bas Bréau

DÉPART

P

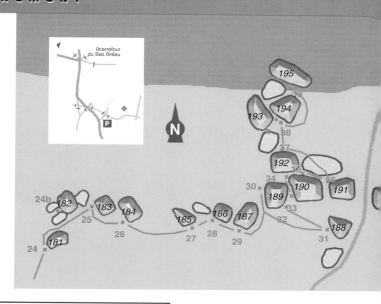

Il était une fois...
les circuits d'escalade

Comment faire de la dénivellée sans altitude ? En 1947, Fred Bernick trace le premier circuit au Cuvier Rempart. L'enchaînement des passages permet de retrouver l'intensité de l'effort d'une course en montagne.

Il faudra cependant attendre les années soixante pour qu'ils se généralisent, révèlent totalement leurs qualités et s'identifient à l'escalade à Fontainebleau.

Mémoire collective et invitation aux jeux, les circuits restent encore aujourd'hui l'essence même de la pratique bleausarde. Sans ces fils conducteurs, comment se retrouver dans les dizaines de milliers de voies de tous les chaos rocheux ? Leur utilité a fait leur popularité.

Aujourd'hui, le nombre de circuits a été jugé raisonnablement suffisant ; non loin de deux cents. Il sont entretenus et parfois refondus après concertation entre l'Office national des forêts, le Comité de défense des sites et rochers d'escalade (CO-SI-ROC) et ceux qui donnent bénévolement de leur temps pour entretenir ce patrimoine collectif.

Dans L'égoïste.

Gorges d'Apremont

circuit rouge

Circuit rouge et circuit noir et blanc.

Lumière matinale à Apremont.

voie	bloc	cotation	nom	voie	bloc	cotation	nom
1	51	5c	Départ	24	89	6b	Les verrues
2	50	5b	La sans l'arête	25	90	5a	Le réta gras
3	50	5a	Les trois petits tours	26	87	5b	La claque
4	50	6a	Le piano à queue	27	83	5a	Le pilier
5	23	5a	La traversée de la fosse aux ours	28	83	6a	La conque
6	52	5b	Le trompe l'œil	28b	82	6a	Les fausses inversées
7	62	6a	Les crampes à Memère	29	82	5c	L'ancien
7b	62	6a		29b	80	6a	Les chiures
7t	63	5c		30	81	5b	La valse
8	64	5b	Le triste portique	31	80	5c	La que faire
9	67	5b	Le toboggan	32	119	6b	La psycho
10	67	5b	Le vieil os	33	131	5c	Le doigté
11	68	6a	Les yeux	34	108	5c	La science friction
12	69	5c	Le château de sable	35	110	5c	La pilier japonais
13	71	5c	La durandal	36	110	6a	La Ko-Kutsu
14	72	5c	La rampe	37	106	5c	Le médius
15	74	5c	Le marchepied	38	103	5c	La râpe grasse
16	76	5b	La longue marche	39	150	6a	L'anglomanique
17	79	5c	Le bouleau	40	150	5c	Le grand pilier
18	75	5b	Le bonheur des dames	41	152	6a	L'arrache bourse
19	85	5b	La freudienne	42	160	5c	L'alternative
20	92	5a	Le coin pipi	43	163	5a	La dalle à dame
21	94	5a	L'angulaire	44	166	5a	Le cube
22	95	5a	Le baiser vertical	45	175	5b	La croix
23	171	5b	Le dièdre gris	46	180	5b	La John Gill

Gorges d'Apremont

circuit noir et blanc |||

voie	bloc	cotation	nom	voie	bloc	cotation	nom
1	62	7a	L'hyper plomb	9	118	7a+	Le treizième travail
2	63	7a	La dalle du dromadaire				*Variante directe 7c+*
2b	61	7a	Médaille en chocolat	9b	118	7a+	Fleur de rhum
3	52	6b	La croix et la bannière	10	112	6c+	La lune
4	64	6a	La dalle du toboggan	11	107	6c	Le fruit défendu
5	74	6c	L'ébréchée	12	105	6c	L'arc d'Héraclès
6	78	6c	La térébrante	13	104	6c	La tarentule
7	94	6c	L'œuf	14	173	6c	Les lames
8	123	6c	La conque				

Gorges d'Apremont
circuit fraise écrasée

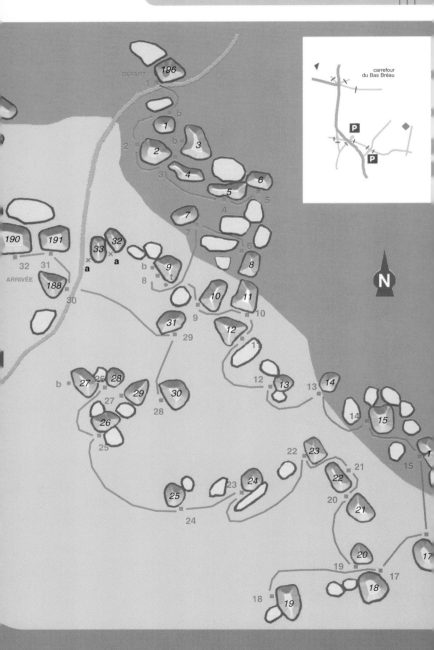

carrefour
du Bas Bréau

	voie	bloc	cotation	voie	bloc	cotation
CIRCUIT FRAISE ÉCRASÉE, ZONE D	1	196	3b	17	18	4c
	1b	1	4a	18	19	4b
	2	2	3c	19	20	4a
	3	4	4a	20	21	5b
	3b	3	4a	21	22	4b
	4	5	4a	22	23	4a
	5	6	4c	23	24	4b
	6	8	4b	24	25	3c
	7	7	4a	25	26	5b
	8	9	5a	26	28	4c
	8b	9	4c	26b	27	6a
	8t	9	4c	27	29	4b
	9	10	4a	28	30	4b
	10	11	5c	29	31	4c
	11	12	5b	30	188	4b
	12	13	4a	31	191	5a
	13	14	4a			L'ante phallus
	14	15	4b	32	190	5b
	15	16	4a			Le phallus
	16	17	4b			

Ici encore, l'originalité de la couleur ne laisse pas indifférent. Et nul doute que lorsqu'il a été tracé en 1957, ce circuit a fait une certaine impression puisqu'il était alors le plus difficile. Il n'est que de le suivre aujourd'hui pour avoir un aperçu du niveau des grimpeurs de l'époque, d'autant que le matériel était loin d'être aussi performant qu'aujourd'hui. Ce circuit a d'ailleurs marqué une rupture, c'est le point de départ du bloc pour le bloc et non plus uniquement comme corollaire à la montagne.

Gorges d'Apremont
hors circuit

HORS CIRCUIT, ZONES A, B, C, D

zone	bloc	voie	cotation	nom	zone	bloc	voie	cotation	nom
A	2	a	7a		C	58	a	6b	*Traversée D>G*
A	13	a	7a	Super Stalingrad	C	60	a	6a	*Surplomb*
A	13	b	7a	Tendance de droite	C	83	a	7a+	Dalle d'Alain
A	14	a	7c+	Merry Christmas	C	84	a	7a+	Futur antérieur
A	19	a	7a	Hiéroglyphe	C	89	a	7b	Coup de cœur
A	20	a	7c+	Jolie Môme	C	111	a	7b+	Tarpé diem *Morpho*
A	31	a	7a		C	113	a	7c	Travers D *Traversée G>D*
B	19	a	7a	Clin d'œil					
B	21	a	7c+	Koala *Exposé*	C	120	a	7a+	*Arrête*
					C	120	b	7c+	Remaniement *Eliminante*
B	22	a	6c						
B	22	b	6c		C	152	a	7b	
B	22	c	6c	*Traversée D>G 7a*	C	153	a	6c	
B	22	d	6b		C	154	a	7a	
B	31	a	7b	Faux contact	C	156	a	7b	Onde de choc
B	47	a	7b	Une idée en l'air	C	161	a	8b	L'alchimiste *La prise clé a cassé*
B	49	a	7b+	Le marginal					
C	34	a	6b	*Traversée*	C	162	a	7b+	
C	41	a	6c+	Egoïste *Départ assis 7a+*	D	32	a	6c	Quiproquo
					D	33	a		*Projet*

Désert d'Apremont

CIRCUITS

Jaune PD (n°2) ❑
Jaune PD+ (n°1) ●
Orange AD (n°3) ❑
Orange AD (n°4) ❑
Orange AD (n°5) ❑
Bleu D+ (n°6) ❑

Le désert évoque l'infini ; on trouve ici effectivement de très nombreuses possibilités pour découvrir l'escalade à travers les six circuits tracés, qui sont tous des circuits d'initiation. Hommage donc à la découverte, avec en prime le piment d'un certain isolement. Bien que l'on ne se trouve qu'à une dizaine de minutes des voitures, les bruits ne filtrent pas, ou si peu, qu'on pourrait se croire bien plus loin.

La marge et la limite

L'impression de difficulté dépend du rapport entre l'énergie dépensée et l'énergie anticipée. On peut avoir l'impression d'avoir « la marge » dans un passage très difficile, et on peut se sentir « limite » dans un passage nettement moins difficile. L'idée que l'on se fait du passage et de soi-même déterminent l'impression de difficulté. Pour progresser, on peut chercher à faire des passages toujours plus difficiles. On part en quelque sorte de soi-même pour aller vers le rocher et choisir son passage. On peut à l'inverse chercher à faire des passages toujours plus facilement, quelle que soit leur difficulté. On part alors du rocher pour aller vers soi-même et se choisir. Savoir combiner ces deux démarches peut permettre de mieux mobiliser ses énergies et d'avancer peu à peu dans la difficulté. Cela peut être une clé pour mieux apprécier le rocher, mieux se connaître, et finalement, se faire encore plus plaisir.
Marc Le Menestrel

Léger sur les prises, mais pas sur les pieds.

Désert d'Apremont
circuit jaune

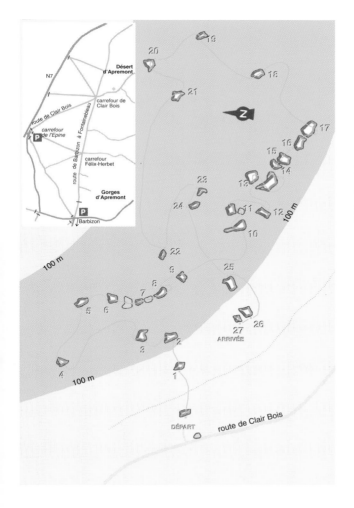

CIRCUIT JAUNE		
	voie	cotation
	1	2b
	2	2b
	3	3a
	4	2b
	5	2c
	6	3a
	7	2c
	8	3a
	9	2b
	10	2c
	11	2c
	12	3b
	13	2b
	14	2c
	15	2a
	16	3a
	17	3b
	18	2b
	19	3b
	20	2b
	21	3c
	22	3a
	23	3a
	24	2c
	25	1b
	26	3a
	27	4a

Envers d'Apremont

CIRCUITS

Jaune PD ❑
Orange AD ❑
Rouge TD
en cours de réfection ❑

Au nord des Gorges et de leur chaos de blocs, l'Envers d'Apremont parait particulièrement paisible. Il est parcouru par un historique circuit, affectueusement baptisé « Farine » en souvenir de celui qui le traça il y a plus de trente ans et qui charriait des sacs de... farine. Très récemment, un des blocs de ce circuit (ancien numéro 40) est devenu, suite à la mode des départs assis, l'un des passages les plus difficiles de la forêt : *la Pierre philosophale*.
Vous trouverez là fraîcheur en été et tranquillité quand la foule a envahi tous les autres sites.

Quand la courbe des arbres rejoint celle du rocher, Mathieu Dutray dans L'apparemment (8a).

Progresser en cinq sept

Pour tout grimpeur, plusieurs paliers symboliques s'avèrent particulièrement difficiles à franchir. Notamment ceux du sixième et du septième degré. Aux portes de ces deux niveaux, nous vous proposons quelques repères qui devraient vous permettre de les démystifier un peu. Il est en effet certain que la frontière est tout autant psychologique que physique ou technique.

Quelques trucs

Choisir d'abord le passage qui va se rapprocher du style que vous préférez. Ne tentez pas d'abord un surplomb si vous êtes plus à l'aise dans les dalles. Mieux vaut au début, comme le dit Yannick Noah en tennis, travailler ses points forts.

Observer ceux qui connaissent, et qui sont de préférence de même gabarit que vous ; ne pas hésiter à leur demander d'expliquer la subtilité de tel placement qui fait la différence.

Attendre les bonnes conditions pour essayer le passage. Les prises adhèrent mieux l'hiver ou par des conditions météo qui oscillent entre 5 et 10 degrés. Au-delà, les prises tiennent moins bien. Ayez des chaussons adaptés et pour un confort supplémentaire en hiver, laissez-les près du chauffage dans votre voiture pour qu'ils soient plus agréables à chausser. Les sensations et l'adhérence n'en seront que meilleures.

La parade appuyée est un excellent moyen d'appréhender un passage. Le pareur va soulager le corps de quelques grammes pour pouvoir réussir le mouvement qui pose problème. Peu à peu la parade deviendra moins appuyée pour disparaître définitivement et permettre la réalisation. Il est important de soulager au niveau du haut des cuisses pour conserver le centre de gravité au bon endroit et ressentir les sensations justes.

Quelques passages qui ouvrent les portes du 6

- *La piscine* (n°4 noir) aux Gros Sablons : 5c, avant tout de la hauteur.
- *John Gill* (n°46 rouge) aux Gorges d'Apremont : 5b en toit.
- n°1 rouge à la Roche aux Sabots : 5c.
- *La Marie Rose* (n°22 rouge) au Bas Cuvier : 6a, incontournable et très technique (le premier de l'histoire en plus).
- *La balafre* (n°24 saumon) aux Gorges d'Apremont : un 5c... 6a de grande ampleur.
- *Mine de rien* (n°23 rouge) à la Roche aux Sabots : un gros 5c ou un petit 6a.
- n°11 bis rouge à la Vallée de la Mée : un gentil 6a sur du beau marbre.
- Le circuit rouge du Bois Rond est une excellente école pour l'entrée au 6a.
- Le circuit rouge de la Roche aux Sabots est un superbe répertoire gestuel pour comprendre le 6.

Quelques passages qui ouvrent les portes du 7

- *La dernière croisade* (n°13 blanc) à La Padôle : 6c/6c+, de grande ampleur.
- n°50 blanc (arrivée) à l'Isatis : un 6c psychologique (sans l'arête).
- Le pilier Droyer à L'éléphant : un 6c+ biscornu et technique.
- *Le Surplomb de la coquille* à l'Isatis-Hautes Plaines : un 6c+ en dévers avec un engagement proche du septième degré.
- n°16 blanc à l'Isatis en départ direct : 6c/6c+, tout en finesse et précision.
- *Médaille en chocolat* (n°2bis noir et blanc) aux Gorges d'Apremont : un 7a assez facile en jeté mais morphologique.
- *Hélicoptère* au Bas Cuvier : un 7a beaucoup plus facile pour les grands que l'Abattoir.
- *Holey Moley* au Bas Cuvier : un 7a pas trop exigeant, surtout en hiver, et facile à parer.
- *Attention chef d'œuvre* à Buthiers : un mur en 7a, à doigts, absolument unique.
- *Chasseur de prises* (n°1 blanc) au Rocher Canon : un 6c+ qui tend vers le 7a.
- *A l'impossible* à la Roche aux Sabots : 7a+ en dalle, toute en finesse et à doigts.
- *Pierre précieuse* au 95.2 : 6c+ pour les amateurs de « Yaniro » (quand la jambe droite s'enroule autour du bras gauche).
- *Descente aux enfers* (n°5 noir) à Franchard Cuisinière : 7a+ physique, à crochet de pied.

Apremont Bizons

Ne cherchez pas les bisons, ils n'ont jamais élu domicile en ces lieux. Pas de marche d'approche non plus, à moins de cinquante mètres du point de parking, vous êtes à pied d'œuvre. Bien que proche des Gorges, le paysage est très différent : ombre et une certaine sévérité. Agréable l'été.

Apremont Bizons

circuit orange

circuit rouge

voie	bloc	cotation		voie	bloc	cotation		voie	bloc	cotation	
1	1	3c		16	13	3a		32	35	4b	Variante 4c
2	2	3c		17	14	3c		33	41	4a	
3	3	3a	Variante 3b	18	18	3c		34	45	4a	
4	4	4a	Variante 3c	19	21	4a		35	44	3b	
5	4	2c		20	22	4a		36	43	3a	
6	5	3b		21	20	3a		37	47	3b	Variante 4a
7	6	3c		22	19	3b		38	52	3c	Variante 4a
7b	6	3a		22b	19	3c		39	52	2c	
7t	6	4b		23	17	2c		40	51	3b	Variante 4b
8	7	2b		24	16	4b+		41	51	2c	
9	7	3		24b	16	2c		42	49	4a	Variante 3c
10	8	4c		25	16	3a		43	48	2b	
10b	8	3c		26	15	3a		44	49	3b	
11	8	3c		26b	15	3c		45	53	3c	
12	9	3b		27	37	3c		46	54	4a	
13	9	3a		28	38	4c		47	55	3b	
14	10	2c		29	39	3a		48	40	3a	
14b	10	3c		30	39	3c					
15	12	4c		31	36	3c					

CIRCUIT ORANGE

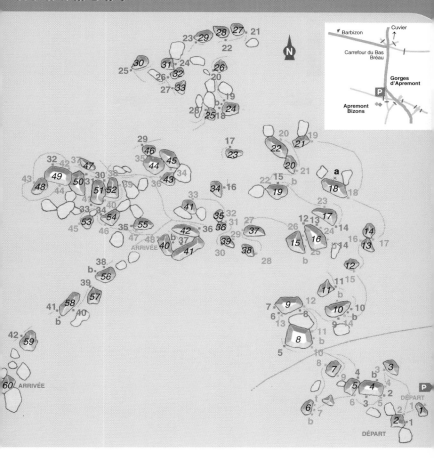

voie	bloc	cotation		voie	bloc	cotation		voie	bloc	cotation	
1	2	4b	Variante 3b	15	19	5c		31	50	4b	
2	4	5a	Jeté	16	34	5c		32	49	4b	
2b	4	5b+		17	23	4a		33	51	4b	
3	3	4b		18	24	5a		34	54	3c	
4	5	4c		18b	24	5c		35	55	5b	
5	8	4c	Variante 6a	19	24	4b		36	42	4b	
6	9	5a		20	26	4a		37	41	3c	
7	9	4c		21	27	4b	Variante 5a	37b	40	4c	
8	9	4a		22	28	4b		38	56	5b	
9	10	5a		23	29	4a		38b	56	5b	
9b	10	5a		24	31	4a		39	57	4a	Variante 4c
10	10	4c		25	30	4c		40	58	5b	
11	11	5b		26	32	4c		41	58	5a	
12	16	4c		27	33	5b		41b	58	5a	
13	16	5a	variante 6a en traversée G>D	28	25	4c		42	59	5b	
				29	46	4c		43	60	5a	
14	17	4c		30	51	6a		a	18	7a	

FRANCHARD

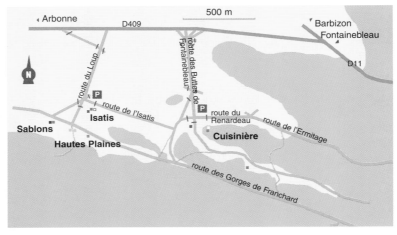

Franchard.

LA SUPER JOKER

Situation : Franchard Isatis, à un mètre à droite du numéro 9 blanc.
Difficulté : 7b+ initialement, 7c aujourd'hui.
Caractéristiques : Deux mouvements, en deux mots : mobilité du bassin et coordination.
Grimpeur : Didier Girardin.

Alain Michaud a posé, à la fin des années soixante-dix, cette pierre insolite dans le jardin bleausard. Initialement coté 7b+, sa difficulté a été revue à la hausse et c'est un test pour les nerfs des grands gabarits qui ont davantage de peine à réaliser ce pied-main d'anthologie que les petits.

Méthode
Main droite sur une verticale où il est essentiel pour moi de mettre les cinq doigts ; main gauche sur la réglette, pied droit à plat ; je me mets en place en laissant descendre le plus possible le bassin, décrivant ainsi un arc de cercle.
Ainsi, le pied gauche peut se placer en pointe au-dessus de la main gauche en mettant toute la pression possible sur le pincé de main droite.
Une fois le pied griffé, le poids se porte totalement sur le pied gauche en continuant à maintenir une pression identique sur main droite.
Le corps s'élève pour rejoindre le trou de sortie qu'il faut atteindre lentement pour contrôler la préhension. Sortir à gauche n'est plus qu'une formalité tout en appui sur des rondeurs utiles à nettoyer quand même.

Franchard Isatis

CIRCUITS

Orange AD	☐
Bleu D-	●
Rouge TD-	●
Blanc ED	○

C'est l'un des sites les plus prisés de la forêt. Sans doute à cause de la densité des rochers et de l'élégance des passages quel qu'en soit le niveau. Cette subtile alchimie a fait de l'Isatis un des grands classiques incontournables. Certes, il ne faut pas y aller pour espérer jouir d'une tranquillité absolue ; le massif affiche souvent complet le week end. Mais rien n'empêche de quitter la foule, une certaine quiétude se retrouve vers la fin des circuits. La proximité des Rochers des Sablons et l'ouverture de voies nouvelles hors circuit participent au désengorgement général du site.

Dernier détail, gare à vos doigts et affûtez les carres de vos chaussons, le grattonnage est particulièrement à l'honneur et les réglettes du site sont renommées pour leur agressivité.

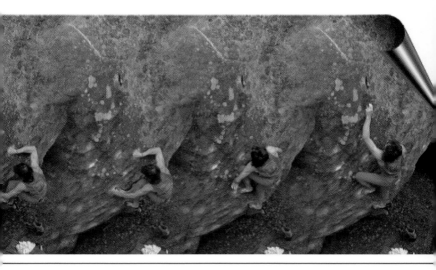

Franchard Isatis
circuit bleu

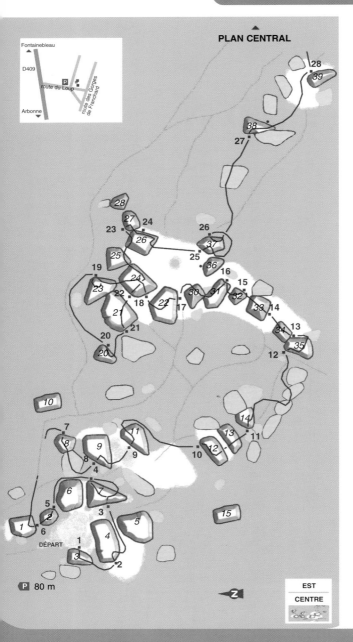

PLAN CENTRAL

Fontainebleau
D409
route du Loup
route des Gorges de Franchard
Arbonne

P 80 m

EST
CENTRE

DÉPART

FRANCHARD

*Les fougères,
tapis des bois*

CIRCUIT BLEU	voie	bloc	cotation
	1	3	3b
	2	4	3a
	3	7	3c
	4	7	3c
	5	2	4b
	6	1	3c
	7	8	3c
	8	9	5a
	9	11	5a
	10	12	4a
	11	14	3b
	12	35	4b
	13	34	5c
	14	33	4a
	15	32	3a
	16	31	3b
	17	22	3a
	18	24	3b
	19	23	3b
	20	20	3a
	21	21	4a
	22	24	4b
	23	27	3c
	24	26	4a
	25	37	3c
	26	37	3c
	27	38	2c
	28	39	4b
	28b	39	5a
	29	40	3a
	30	44	3b
	31	46	3b
	32	51	3b
	32b	51	3c
	33	49	3c
	34	43	4c
	35	41	4c
	36	52	4c
	37	55	4b
	38	54	3c
	39	53	3c
	40	56	3c
	41	58	4a
	42	59	4b
	43	70	3b
	44	70	4a
	45	72	3b
	45b	72	3a
	46	72	4a
	47	73	3c
	48	74	3b
	49	75	4a

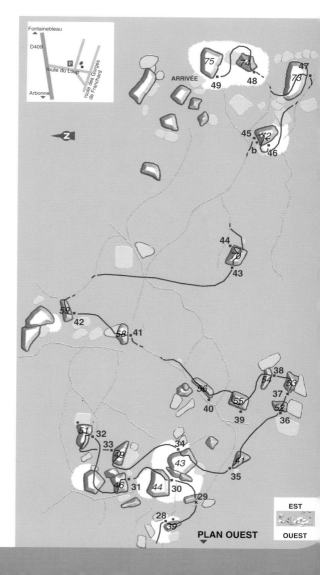

PLAN OUEST

EST

OUEST

Franchard Isatis
circuit rouge

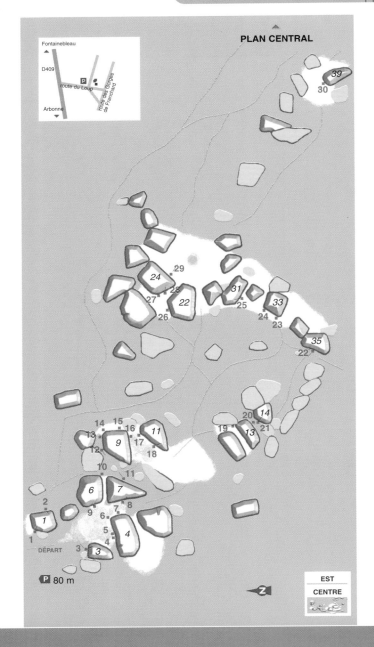

PLAN CENTRAL

Fontainebleau
D409
route du Loup
route des Gorges de Franchard
Arbonne

39
30

29
24
28
31
27
22
26
33
25
24
23
35
22

14
20
19
13
21

14 15
13 16
12 9 17 11
10 18
11
6 7
2 9 8
1 6 7
5 4
1 3 3

DÉPART

P 80 m

EST
CENTRE

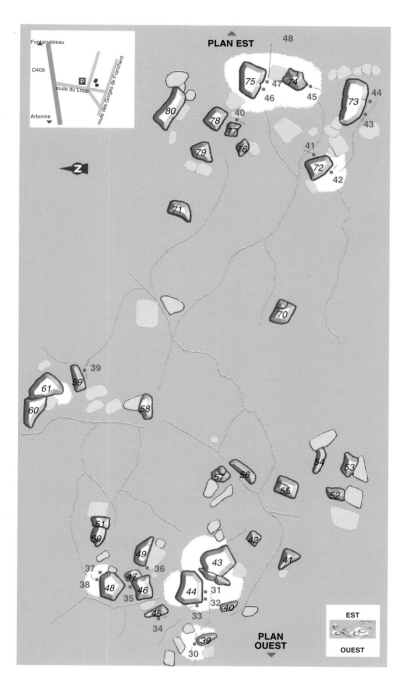

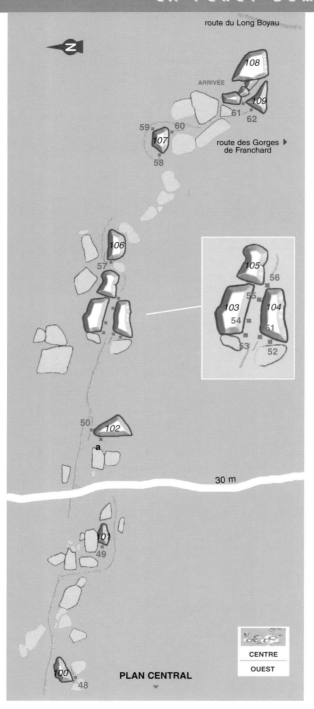

route du Long Boyau

108

ARRIVÉE

109

61
62

59   60

107

route des Gorges
de Franchard ▶

58

106

57

105

56

55

103   *104*

54   51

53   52

50   *102*

×
a

30 m

101

49

100

48

PLAN CENTRAL

CENTRE

OUEST

*Sur la technique
arête du* Cervin.

voie	bloc	cotation	voie	bloc	cotation	voie	bloc	cotation	voie	bloc	cotation	voie	bloc	cotation
1	1	4c	14	9	5b	27	24	4c	41	72	4c	53	103	4c
2	1	5b	15	9	5a	28	24	5c	42	72	5b	54	103	5a
3	3	5b	16	9	5a	29	24	5c	43	73	4c	55	104	4c
4	4	4c	17	11	5a	30	39	5b	44	73	4b	56	105	4c
5	4	5a	18	11	4b	31	44	5b	45	74	4c	57	106	4a
6	4	4b	19	13	4c	32	44	5a	46	75	5b	58	107	4c
7	4	4c	20	13	4b	33	44	5b	47	75	5b	59	107	5b
8	7	5b	21	14	4c	34	45	5c	La bissouflante			60	107	5b
9	6	5	22	35	5a	35	46	4c	48	100	4a	61	109	4c
10	6	5b	23	33	4c	36	49	6a	49	101	5a	62	108	5b
11	7	4b	24	33	5b	37	48	4b	50	102	5a			
12	9	5a	25	31	4b	38	48	5b	51	104	5a			
13	9	5a	26	22	4c	40	77	5b	52	104	4c			

Franchard Isatis

circuit blanc

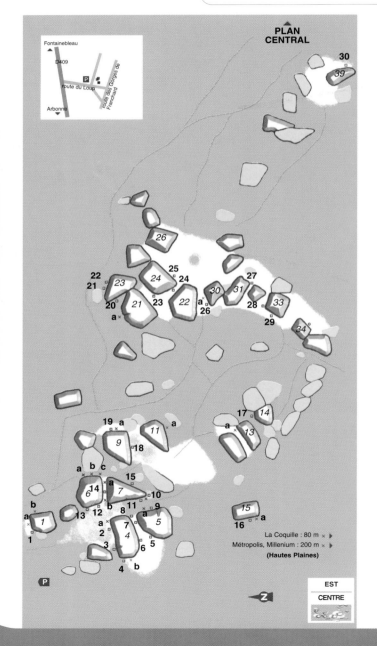

PLAN
CENTRAL

Fontainebleau

D409

P

route du Loup

route des Gorges de Franchard

Arbonne

30
39

26

22
21
23
24
25
24
27
20
21
23
22
30 31
26
33
28
29
34
a

19 a
11 a
17 14
9
18
a
13
a

a b c
15
6 14 7
10
b
b 8 11 9
1
13 12 a
5
a 2 7
4
3
6 5
4 b

15
16 a

La Coquille : 80 m ×
Métropolis, Millenium : 200 m ×
(Hautes Plaines)

P

EST

CENTRE

N

CIRCUIT BLANC

voie	bloc	cotation	nom
1	1	6b	L'amoche doigt
2	4	5b	
3	4	5a	
4	4	6c	Composition des forces
5	5	5b	
6	4	5b	
7	5	5b	
8	4	6a	
9	5	5c	Le coup de pompe
10	7	6a	Le statique
11	7	6b	
12	6	5b	
13	6	5b	
14	6	5c	
15	7	5b	
16	15	6a+	Beurre marga
17	14	5b	
18	9	6b	La zip zut
19	9	6b	L'envie des bêtes
20	23	6b	La planquée
21	23	6a	
22	23	5c	
23	24	5c	
24	24	6a	
25	24	5c	
26	30	5a	
27	31	6a	
28	33	6a	
29	33	5b	
30	39	5b	
31	43	6b	
32	43	6a	
33	44	5a	
34	44	5c	
35	44	6a	
36	44	6b	
37	46	6a	
38	48	6a	
39	48	6a	
40	51	6b	
41	51	6a	
42	50	5b	
43	79	6a	
44	72	5b	
45	74	5b	
46	74	6c	Le Cervin
47	74	5b	La patinoire
48	75	6c	
49	75	6a	
50	80	6b	

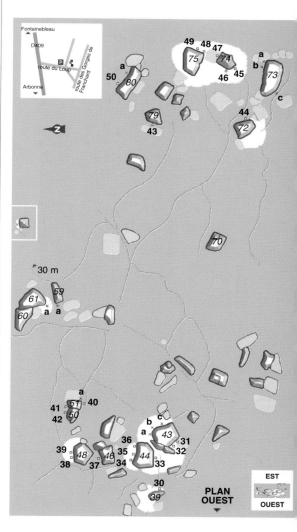

Franchard Isatis
hors circuit

Pierre Gonzalès s'engage dans le pas clé de L'arrache cœur.

HORS CIRCUIT

bloc	voie	cotation	nom
1	a	7b+	Surprise
1	b	7a	
4	a	7b+	L'intégrale *Traversée*
4	b	7a+	Couenne de merde
5	a	7c	Super joker
6	a	7c	Gnossienne
6	b	7b+	Le mur des lamentations *Directe 7c*
6	c	7c	Gymnopédie
7	a	7a	
7	b	7a	
7	c	7a	
9	a	6c+	
11	a	6c	
13	a	7c+	Le vin aigre *Morpho*
15	a	6c	Les troubadours
21	a	6b+	
30	a	7a+	
43	a	6c	
43	b	7c	Alta
43	c	8b	Enigma
51	a	7a	
59	a	7a+	El poussif
61	a	7a	El poussah
73	a	6b	
73	b	?	*Projet*
73	c	7b	La Memel
80	a	7c	L'arrache cœur
102	a	8a	Iceberg

HORS SITE

bloc	cotation	nom
a	6c+	Surplomb de la coquille
b	7c	Métropolis
c	7c+	Millenium
voir carte Franchard Hautes Plaines		

Hautes Plaines

CIRCUITS

Jaune PD-	❏
Jaune PD+	●
orange AD+	❏

Ce site vous permettra dans un cadre de sous-bois très calme d'apprendre les techniques de base de l'escalade, des premiers pas (PD-) à une certaine maîtrise (AD+).

Pour ceux qui souhaitent se préparer à la montagne ou à la falaise, deux blocs (situés près de l'arrivée du circuit jaune PD+) sont équipés de points d'assurance, vous pourrez installer un rappel (prévoyez corde, baudrier et descendeur), il ne vous manquera que le « gaz ».

Dame Nature ordonne le chaos.

Hautes Plaines
circuit jaune

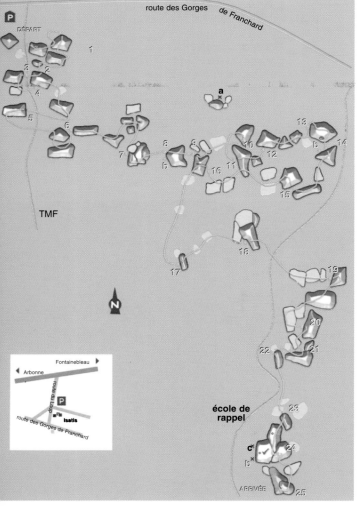

route des Gorges de Franchard

DÉPART

1

3 2

4

5

6

a

7

8 9

10

13

12

16

5 14

11

15

TMF

18

17

N

19

20

22 21

école de rappel

23

24

25

ARRIVÉE

Fontainebleau ►
◄ Arbonne

route des Gorges de Franchard

isatis

CIRCUIT JAUNE	voie	cotation
	1	2c
	1b	3c
	2	3a
	3	3a
	4	2c
	5	2c
	5b	1c
	6	2b
	7	2a
	7b	3c
	8	2a
	8b	3a
	9	2c
	10	2c
	11	2a
	12	2a
	12b	2c
	13	2c
	14	2b
	14b	3c
	15	3a
	16	2c
	17	2c
	18	2c
	19	2b
	20	2a
	21	2b
	22	2c
	23	2b
	24	3b
	25	3c

Franchard Sablons

CIRCUITS	
Bleu D	●
Rouge TD	●

A quelques centaines de mètres de l'Isatis, ce site un peu éclipsé par son prestigieux voisin connaît une seconde jeunesse : réactualisation des circuits, ouverture de traversées et de passages nouveaux. La difficulté moyenne est bien en deçà de l'Isatis et la tranquillité assurée. Ce sont les raisons de son succès actuel.

Châtaigniers en fleurs.

Franchard Sablons

circuit bleu

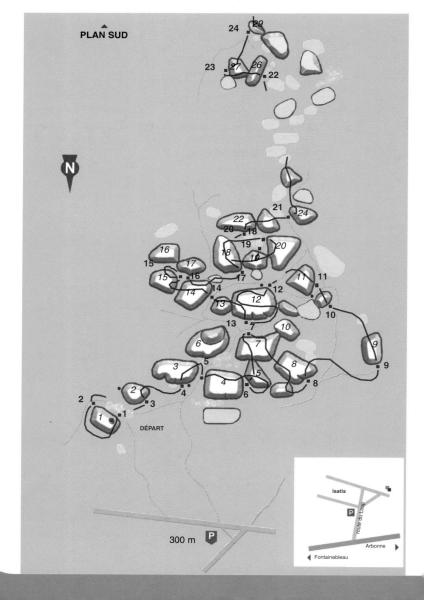

PLAN SUD

N

DÉPART

300 m P

Isatis

route du Loup

P

Arbonne ▶

◀ Fontainebleau

FRANCHARD

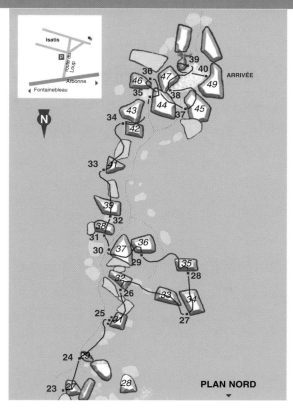

PLAN NORD

CIRCUIT BLEU	voie	bloc	cotation	nom	voie	bloc	cotation	nom
	1	1	3b	L'accueil tranquille	20	22	4b	Le bon point à Danièle
	2	1	4a		21	24	3a	La médaillon
	3	2	4c	La verdâtre	22	26	5a	La grat'à Marc
	3b	2	3c		23	27	4b	
	4	3	4b	L'oiseau bleu	24	29	4c	
	4	b	3	4a	25	31	4a	La Gillette
	5	4	4b	Le 4x4	25b	31	3a	La débonnaire
	6	5	4a	La voie du gynécologue	25t	31	3c	La Gillette bleue
	7	7	4b	L'ascenseur	26	32	4a	L'anonymat
	8	8	4b	Le gros bidon	27	34	4a	L'arraché
	9	9	4b	Le bloc du forestier	28	35	3c	
	10	11	4c	L'équilibriste	29	36	4b	
	11	21	3c	L'amanite vaginée	30	37	4c	
	11b	21	4c		31	38	4b	La réserve du Président
	12	12	4b	La montagne russe	32	39	3c	Le rouleau californien
	12b	12	4c	La Migouze	33	41	4a	La soucoupe volante
	13	12	5a	Une voie d'O.S.	34	42	4a	L'arête vive
	14	13	4b	Les fourmis vertes	35	44	4a	
	15	15	4a	L'enchaînement	36	46	4b	
	16	14	4a		37	45	3a	La Fonta stick
	17	18	4c	L'élégante	38	47	3c	
	18	20	4a		39	48	4a	
	19	19	3b/5c	Le trou morpho	40	49	4b	La multiprise

Franchard Sablons

circuit rouge

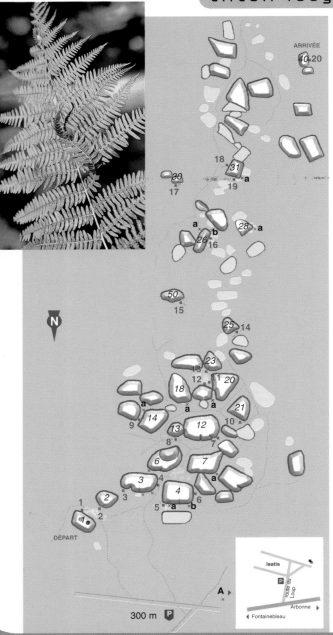

ARRIVÉE

40-20

18
31
a
80
17
19

a
b
28 a
26
16

50
15

25 14

23
13
12 1 20
18
a
a
21
14
9
10
13 12
8 7
6
7
3 4
4
2 3 a
1 5 a b
2 6

DÉPART

N

Isatis
P
route du Loup
Arbonne
Fontainebleau

A

300 m P

*Quand la glace interdit
l'escalade, elle régale le regard.*

CIRCUIT ROUGE

voie	bloc	cotation	nom
1	1	5c	L'accroche doigt
2	2	5b	La réticence
3	3	5b	Le passe plat
4	3	5b	La promptitude
5	4	5c	La dérobade
6	4	5c	Morsure aux doigts
7	12	5c	Les racines
8	13	5b	Saccage au burin
9	14	5b	Le chien assis
10	21	5b	L'arête du poisson
11	20	5b	La traversée
12	19	5a	Le nez
13	23	4c	L'accalmie
14	25	4b	Mise en train
15	50	5a	Coup de canon *Prolongée 6a*
16	26	6a	La dalle à Clément
17	30	4b	Orgasme
18	31	4a	La dalle bleue
19	31	5c	Prise de tête
20	40	6a	Dalle funéraire

Franchard Sablons
hors circuit

HORS CIRCUIT	bloc	voie	cotation	nom		bloc	voie	cotation	nom
	3	a	6c	Dos d'âne		18	a	7a	Duralex
	3	b	6c	Le fer à repasser		19	a	7b+	Modulor
	4	a	7b+	Traînée de poudre *Traversée G>D, sortie goulotte*		26	a	7b	Jokavi *Jeté*
	4	b	7c+	Fragment d'hébétude *Traversée D>G, sortie 5 rouge*		26	b	7a	La vérité
	6	a	6c+	Gros tambour *Traversée G>D*		28	a	6b	Sale affaire
	7	a	7a+	Canyon *Traversée G>D*		31	a	7a+	Talons aiguilles
	14	a	7a	Peine forte *Traversée G>D, prolongée 7b+*		A		7a	Voltane *En traversée, 8a*

Franchard Cuisinière

CIRCUITS

Orange Montagne ●
Orange AD+ ❑
Rouge TD- ●
Blanc ED ○

A l'ombre des grands pins, le site de Franchard Cuisinière s'étend de chaque côté de la route Amélie. On y trouve le plus long circuit de toute la forêt, l'historique parcours orange s'étirant sur plusieurs kilomètres ; des parcours fléchés toujours d'actualité ainsi que de nombreux passages hors circuit de grand intérêt.

Son chaos de blocs est un véritable trésor pour les amateurs d'ouverture. Ajouté à cela le fait qu'on peut y grimper en toute saison et vous comprendrez le succès que connaît « la Cuisinière ».

Le rétablissement, figure imposée du bloc.

Franchard Cuisinière
circuit montagne |||

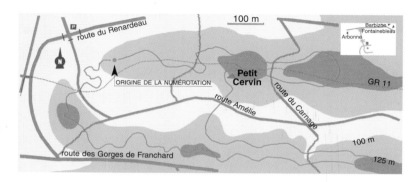

C'est un groupe du Club alpin français qui eut l'idée en 1960 de tracer ce circuit. Rouge, la « cerise du débutant » représentait un véritable test d'entraînement physique : 6 km de blocs faciles, exigeants à enchaîner, on ne sait malheureusement pas s'il a connu un record de vitesse, mais c'est probable.

Aujourd'hui devenu orange, il permet toujours une découverte de l'escalade, et une balade très sportive dans de magnifiques sous-bois et sur les crêtes de Franchard.

Le rocher, le ciel et la forêt, magique symbiose pour le grimpeur (Larchant).

Franchard Cuisinière

circuit rouge

CIRCUIT ROUGE

voie	bloc	cotation
1	4	4b
2	4	4c
3	16	4c
4	16	4c
5	17	6a
6	19	4b
7	21	4c
8	21	5a
9	50	5a
9b	50	4c
10	51	4b
11	52	4c/5c
12	53	5a
13	53	4a
14	55	6a
15	55	4b/6b
16	56	4c
17	58	5a
18	65	4c
19	64	4b
20	69	5a
21	80	4c
22	79	4c
23	77	4b
24	75	5b
25	43	4c
26	31	5a/5c
27	34	4a
28	33	4c
29	32	4b
30	30	4c

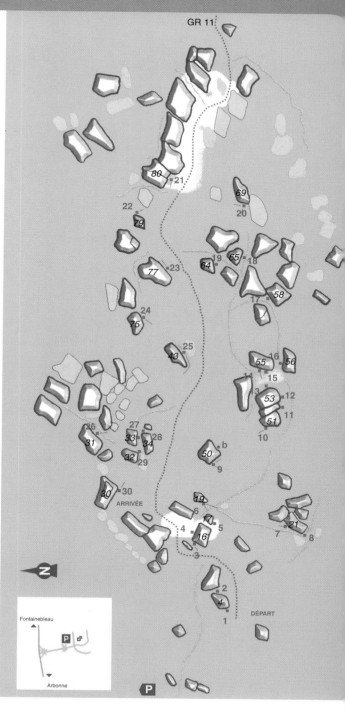

Ambiance grand vert dans La teigne.

Franchard Cuisinière

circuit blanc ‖‖

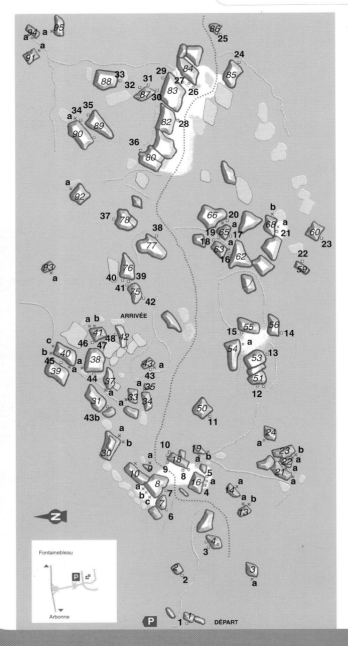

F acile pour du blanc ! C'est ce que l'on entend souvent dire à propos de ce circuit quand on se contente de le comparer à d'autres, comme celui du Bas Cuvier par exemple. Ouvert par Patrick Cordier dans les années soixante-dix, il n'en a pas moins un caractère très particulier lié à l'engagement et à la diversité des passages. C'est indiscutablement un des plus beaux de toute la forêt et ses qualités font toujours l'unanimité.

En piste pour le hors piste avec l'Impasse du hasard.

CIRCUIT BLANC

voie	bloc	cotation	voie	bloc	cotation
1	1	5c	24	85	5c
2	2	4b	25	86	5c
3	4	4c	26	84	5a
3b	4	5a	26b	84	5b
4	16	5b	27	83	6a
Le hareng saur			28	82	5b
5	16	5c	29	83	5c
6	7	6a	30	87	5C
7	8	4b	31	87	5c
8	18	5b	32	87	4c
8b	18	6a	33	88	4b
9	18	5b	34	90	5c
10	18	6b	34b	90	4b
10b	18	6c	35	89	5c
11	50	5c	36	80	6b
12	51	4c	37	78	5b
12b	51	4b	38	77	6b
13	53	5a	39	76	5b
14	56	4c	40	76	5c
15	55	5c	41	75	5c
16	62	5b	42	75	5c
17	65	5c	43	43	6b
18	63	4b	43b	31	6b
19	65	5c	44	38	5c
20	66	5c	45	39	4c
21	68	5b	46	41	5c
22	59	5a	47	41	6a
23	60	5a	48	42	6b

Franchard Cuisinière
hors circuit |||

bloc	voie	cotation	nom
3	a	7c+	Coté cœur
8	a	7a	
8	b	6c	
8	c	6a	
9	a	7b	Alaxis
10	a	8a	The beast *Traversée*
13	a	6b	
13	b	6c	
14	a	7c	La jouissance du massétar
16	a	7c+	Les yeux pour pleurer
19	a	6c	
19	b	6a+	
21	a	7b	Entorse *Morpho*
21	b		Projet
22	a	7a+	Impasse du hasard
23	a	7b+	Les petits poissons
23	b	6a	
24	a	6c	
30	a	8a	Karma
30	b	7a	Bizarre bizarre *Eliminante*
33	a	6b+	
35	a	6c	

bloc	voie	cotation	nom
37	a	7a	*Traversée*
38	a	8a+	Liaisons futiles *Traversée*
40	a	7c	Eclipse *Traversée*
40	b	7a+	Pensées cachées
40	c	7c	Atomic power
41	a	6b	
41	b	6c	
43	a	7a	
54	a	7a+	Terre promise *Départ assis (7c)*
63	a	6c	
66	a	7b+	Corps accord
68	a	7b	Haute tension
68	b	7b	La déferlante *Exposé*
90	a	7a+	Le magnifique
91	a	7b+	Echine *Départ assis (7c+)*
92	a	7c	Maudit manège *Exposé*
93	a	7a+	Soirée brésilienne
94	a	8a	En route pour la joie *Traversée*
95	a	8a+	Du pareil au même *Traversée*

KARMA

Situation : Franchard Cuisinière, à droite de la fin du circuit rouge.
Cotation : 8a.
Caractéristiques, en deux mots : force/vitesse et tiré de jambe (adducteurs).
Grimpeur : Laurent Avare.

Ce problème faisait partie des grands projets en gestation lorsque Frederic Nicole, exceptionnel grimpeur de bloc suisse, le réalisa au nez et à la barbe des bleausards, fin des années quatre-vingt dix. C'est aujourd'hui, dans ce style, une référence internationale de la haute difficulté.

Méthode

Les deux mains sur la grosse prise de départ, le pied droit installé en carre externe sur le bord gauche de la fissure, deux petits mouvements de balancier permettent de libérer le maximum d'énergie pour atteindre une cupule en bi-doigt main droite ; il est important de la repérer par une marque car elle est totalement invisible du bas. (à noter que je prends la prise la plus à gauche main gauche, car mon mètre quatre-vingt-dix me le permet, mais la plupart prennent main gauche la verticale arquée qui se trouve la plus à droite du baquet).
Les doigts placés en tendu lorsqu'on atteint cette prise se placent alors en arqué pour installer le talon gauche sous la main gauche de départ.
Tout le poids se met alors sur la jambe en ouverture de bassin afin de lâcher cette main gauche et atteindre en plusieurs fois selon l'adhérence et la force en quadriceps le plat de sortie.

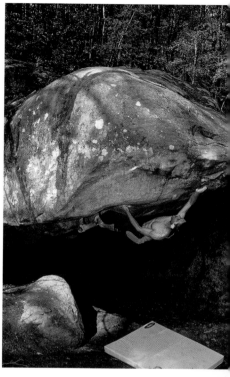

Brice Lefèvre dans L'insoutenable légèreté de l'être.

Histoire de La comète de Hale Bopp contée par Mathieu Dutray.

Autour de Cuisinière
haut niveau

La sélection de passages suivants, loin d'être exhaustive sur les possibilités de cette partie du massif, regroupe les plus remarquables. Presque tous sont des blocs hors norme, tel le fameux jeté de *Hale Bopp*, le seul passage de Fontainebleau à cotation variable selon la taille du grimpeur qui l'essaie ; la magnifique ligne de *Duel* qui est sans contestation la référence en dalle extrême de Fontainebleau ; telle aussi cette arête majeure en 6c ou encore les plats fuyants de *La chose*. Ce sera aussi l'occasion de découvrir un autre visage de Franchard Cuisinière.

Autour de Cuisinière.

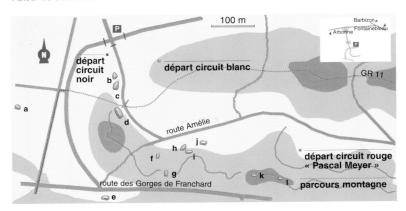

HAUT NIVEAU	voie	cotation	nom		voie	cotation	nom
	a	8b+	L'insoutenable légèreté de l'être		f	6c	De fil en aiguille
	b	7a	Excalibur		g	7b	Trois hommes et un coup fin *Exposé*
	c	7a+	Descente aux enfers		h	7a	La teigne
	d1	6c	Le Merluchet *Grand mur (gauche)*		i	7c+	La chose
	d2	6a	Moondance *Grand mur (centre)*		j	8a	Duel
	d3	6b	Blocage mental *Grand mur (droite)*		k	7 à 8	Hale Bopp *Jeté, dépend de la taille*
	e	7a	Mosquito Coast		l	7c	Toutes peines confondues *Encordé*

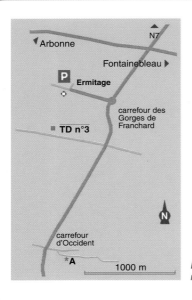

*Petit bloc pour des grands,
mais grand pour des petits.*

Jo Montchaussé traverse dans Petit homme.

Ermitage - Route ronde

CIRCUITS

Blanc enfant ❏
Rouge Raymond ❏

Hors circuit
Petit homme (7a+)

La particularité de ce secteur est de proposer à la fois un circuit enfant particulièrement remarquable, une des plus belles traversées de la forêt et un circuit rouge, parcourant une zone très tranquille, récemment rénové.

On peut y grimper par grosse chaleur, car les bois très denses filtrent les rayons du soleil ; le pendant est qu'après une pluie, les rochers restent humides assez longtemps.

*Tout au fond du massif,
les vertigineuses
Trois graines d'éternité.*

Rocher Canon.

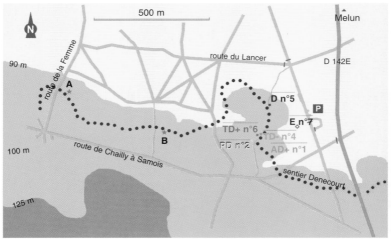

Rocher Canon

CIRCUITS

Blanc enfants	❏
jaune PD	❏
Orange AD+	❏
Bleu foncé D	❏
Bleu ciel TD-	●
Rouge ED-	❏

Passages choisis :
Circuits rouge et bleu foncé, hors circuit

Le fameux Rocher Canon n'a pas été avare de boulets sur lesquels grimpent chaque fin de semaine un nombre considérable de grimpeurs. Souvent tout en rondeur, les blocs n'en ont pas moins du caractère et nécessitent souvent une grande technicité. Récemment, la mode des traversées a apporté ici et là quelques morceaux de bravoure très appréciés des connaisseurs. Si la tranquillité n'est pas souvent de mise, on y appréciera la convivialité et une abondance de fougères qui prennent des couleurs magnifiques à l'automne.

Greg Clouzeau dans Lévitation.

Rocher Canon

circuit bleu ciel

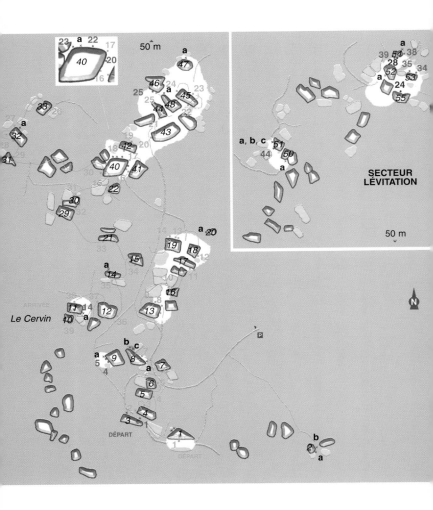

50 m

SECTEUR
LÉVITATION

50 m

N

Le Cervin

ARRIVÉE

DÉPART

DÉPART

P

Un chasseur de prises en 7a.

voie	bloc	cotation	nom	voie	bloc	cotation	nom
1	1	5a+	Le Cap GAP	20	43	5b	La contrealto
2	4	4c	Le bombé du pied levé	21	44	5c	La Bendix
3	4	5a	Le pied levé	22	45	4a	L'eunuque
4	5	5c	L'appuyette	23	45	4b	Les plats
5	6	4c	Le bloc	24	45	4c	La fourch'mammouth
6	7	5b	L'attrappe-mouche	25	46	5b	Le surplomb du Bengale
7	8	4c	Le dévers	26	33	5a	Le but
8	13	5c	Le sphinx de droite	27	32	4b	L'oubliée
8b	13	4c	Le golgotha	28	32	5a	La spéciale
9	13	5b	Le golgotha de gauche	29	31	4b	La Bizuth
10	16	4c	L'intermédiaire	30	40	4c	Le couloir
11	17	5a	L'ex-souche	31	30	5a	Le prétoire
11b	17	5b	La traversée de l'ex-souche	32	29	5a	La fédérale
12	18	5b	Le beaufort	32b	30	4b	La voie de l'obèse
13	19	4c	La queue du dromadaire	33	21	4c	La norma
13b	19	5a	Le dromadaire	34	15	5a+	L'imprévue
14	19	4c	Le pilier du dromadaire	35	14	4c	La cachée
15	22	4b+	La dalle de marbre	36	12	5a	La French Cancan
16	41	5b+	L'Emmenthal	37	12	5a	Le serpent
16b	40	6a	Le cruciverbiste	38	11	5c	L'impossible
17	40	5c	Le cheval d'arçon	39	10	5b	
18	42	4b	La soprano	40	11	5a+	Le Cervin
19	42	4c	La goulotte				

Rocher Canon

passages choisis

bloc	voie		cotation	nom
1	a	✗	8b	La valse aux adieux *Traversée G>D*
1	b	✗	7a	Fantasia chez les ploucs
2	a	✗	7a+	Caterpillar
2	b	✗	6c+	Chasseur de prises
3	1	●	6a	Force G
3	a	✗	7b/7c+	Le chaînon manquant *7c+ sans l'arête*
8	a	✗	7a+/7c	36.15 power *7c direct sans les prises de gauche*
8	b	✗	7a+	La mare *Attendre une longue période sans pluie*
8	c	✗	7b+	La mare directe *Attendre une longue période sans pluie*
9	4	●	5b	L'ancien
9	5	●	6b	Dure limite
9	a	✗	7a	*Traversée de L'ancien à Dure limite*
11	14	●	6c	
11	a	✗	7b	Marquis de Sade *Directe*
14	a	✗	6c+	Gainage et dévers *Traversée G>D*
20	a	✗	7a+	*17 orange départ assis*
32	a	✗	7b+	*Traversée G>D*
40	20	●	5c	
40	22	●	6a	Styrax
40	23	●	5c	
40	a	✗	6c	
48	a	✗	7c+	Manus déi *Traversée G>D*
46	25	●	6a	Nuage blanc
47	a	✗	7c+	L'œil de Civah *Départ assis. Exposé*
50	a	✗	6c+	Sledge hammer *Traversée D>G*
51	44	●	5c	
51	a	✗	7b	Vagabond des limbes *Traversée G>D*
51	c	✗	7a	Lévitation *Traversée G>D*
51	b	✗	8a	Légende *Boucle jusqu'au départ de Lévitation*
52	a	✗	8a	Crescendo *Traversée D>G*
53	34	●	6a	*Traversée D>G*
53	35	●	5c	
54	28	●	4c	
54	38	●	5c	
54	39	●	5c	
54	a	✗	7c	Cocaline *Traversée D>G*
55	24	●	3c	

Quelques-uns des blocs proposés ici sont au cœur d'une polémique qui secoue la communauté des grimpeurs aujourd'hui : faut-il systématiquement flécher les passages extrêmes ?
D'après un sondage réalisé auprès d'une centaine de bleausards en 1999, avec le CO.SI.ROC, il apparaît que la majorité des grimpeurs consultés n'y soit pas favorable. C'est la raison pour laquelle ces blocs ne sont pas proposés sous la forme d'un circuit mais plutôt d'une fiche topo permettant de les identifier et de les localiser. Nous les avons complétés par des passages particulièrement intéressants des circuits rouge (ED-) et bleu foncé (D).

Grattonner à la mode Le Denmat, tout un programme.

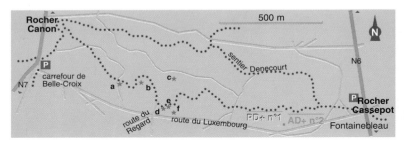

Rocher Saint-Germain.

Rocher Saint-Germain

CIRCUITS

Blanc enfants	❏
Jaune PD+	❏
Orange AD+	❏
Hors circuit	✗

Le rocher Saint-Germain est un vaste secteur composé de deux zones, la première située le plus à l'est offre des circuits d'initiation ; la seconde ne concerne que les forts grimpeurs, on y accède par le carrefour de Belle-Croix. Là les blocs sont très dispersés et parfois difficiles à localiser. Cette invitation à la découverte donne au lieu un charme très particulier. On ne s'y rend pas pour enchaîner des passages mais pour la qualité des traversées dont certaines comptent parmi les plus belles de la forêt. Nulle inquiétude donc si d'aventure vous marchez un peu plus qu'à l'accoutumée. La quiétude des lieux et la beauté des passages vous récompenseront largement. Vous croiserez probablement randonneurs, cavaliers et autres promeneurs du dimanche : l'endroit, propice à une grimpe discrète, n'en est pas moins très populaire.

Le rocher Cassepot

Comme le rocher de Bouligny, le Cassepot mérite le détour pour essayer un bloc, Synapses, dont la ligne seule attire le regard, coté 7c+ tout de même. Alentour, quelques problèmes ont été ouverts qui permettent d'enrichir la visite, mais rien à moins de 7b. Toutefois, même sans y grimper, on peut s'y rendre pour respirer l'ambiance de l'endroit. Aucune flèche ici non plus.

Bleau, une affaire de cœur.

Rocher Saint-Germain
hors circuit

HORS CIRCUIT

bloc	cotation	nom
a	7c+	Les yeux plus gros que le ventre *Traversée D>G*
b1	7c+	Mégalithe (the bloc)
b2	8a	The bloc *Mégalithe départ assis*
c	7c+	La cité perdue *Traversée D>G*
d	7c+	Double croche *Traversée G>D*
e	7b+/8b	Danse de printemps *Traversée D>G*
f	7c+	Psychose *Traversée G>D*

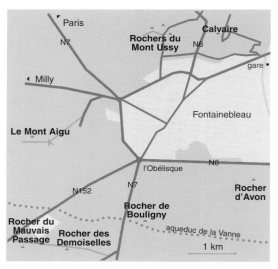

Autour de Fontainebleau.

Les sites présentés ici ont la particularité d'être situés dans un rayon de moins de cinq kilomètres du centre ville de Fontainebleau. Certains sont classiques et proposent de l'escalade accessible à tous, tels le Mont Ussy, le Mont Aigu, la Dame Jeanne d'Avon ou le Calvaire. D'autres comme le rocher Bouligny, les gorges du Houx, les rochers des Demoiselles ou le rocher Cassepot ont été récemment remis à l'honneur ou découverts avec des ouvertures souvent de très haut niveau. Chacun de ces sites mérite, en fonction de votre niveau et de vos aspirations une petite visite et même davantage.

Rocher des Demoiselles

L'histoire ne dit pas quelles sont ces demoiselles. Sans doute les rochers caractéristiques et très sculptés de la fin du seul circuit existant (orange) évoquent-ils vaguement quelques silhouettes féminines. De nouvelles voies ont été ouvertes depuis le chemin du Mauvais Passage jusqu'au circuit orange. Les passages sont parfois engagés voire exposés pour certains, rendant nécessaire de visiter ce massif à plusieurs. Peu de voies en dessous du septième degré et aucune fléchée. A noter aussi qu'on peut s'y frotter avec la plus incroyable fissure à verrous de tout Fontainebleau.

Rocher de Bouligny

Encore un site nouveau. Très peu de blocs, tous de haute volée, avec un zest d'exposition pour certains. La mode des départs assis a permis de mettre à jour quelques problèmes intéressants, surtout un en vérité ; sorte de boule déversante en 7c+ absolument magnifique : *Les beaux quartiers*. D'ailleurs, les rares à s'être rendus dans ce petit coin n'y sont allés que pour ce passage, et c'est donc à ce titre qu'il est mentionné ici. Ne cherchez pas les flèches, suivez plutôt les traces de pof ou de magnésie.

La Dame Jeanne d'Avon

Un site dont le nom semble inspiré de sa grande sœur la Dame Jeanne de Larchant car, comme elle, ce bloc domine crânement par sa hauteur.

Cet endroit n'a pourtant jamais connu les mêmes honneurs car les possibilités ne sont pas illimitées. Quelques passages y ont été ouverts dans les années quatre-vingts ; vous en verrez des traces sur des arêtes inquiétantes, des dalles lisses au possible, de superbes fissures. Ils sont à redécouvrir.

Peut-être faut-il vous conseiller de venir avec une brosse métallique pour goûter pleinement aux plaisirs offerts par cet endroit très tranquille.

Le Mont Ussy

Situés non loin de la célèbre « Roche Hercule » dont la couleur ocre régale les sens, les circuits ici sont destinés aux débutants (deux jaunes PD et un orange AD+) mais les blocs invitent à de nombreuses traversées de tout niveau. La difficulté de celles-ci n'est pas très homogène, mais cela permet d'élargir le répertoire gestuel en déchiffrant de nouveaux problèmes. Il est dommage que le plus beau et le plus haut bloc soit noirci par les feux des « mathieux » qui dînent souvent au pied car certains passages y sont superbes.

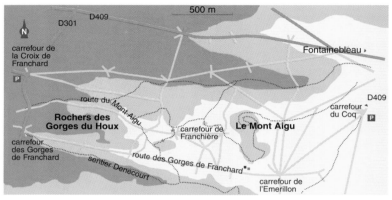

Le Mont Aigu, les Gorges du Houx et le carrefour de Franchière.

Le Mont Aigu

CIRCUITS

Blanc enfants	❏
Jaune PD	❏
Orange AD	●
Bleu D+/TD-	❏

Dès le parking on sent que la ville de Fontainebleau n'est pas loin. Les Bellifontains viennent se délasser ici en faisant le parcours santé, du VTT ou simplement de la randonnée. Il faut marcher un peu pour trouver le départ de quatre circuits, dont trois d'initiation, et un havre de calme et de fraîcheur.
Peu fréquenté, le grès des rochers est particulièrement adhérent. Les circuits sont idéals pour commencer l'escalade et progresser.

Le Mont Aigu

circuit orange

voie	cotation
1	2c
2	3b
3	3a
4	3b
5	3a
6	2b
7	3c
8	3b
9	2c
10	3b
11	3c
12	3a
13	4a
14	3b
15	3c
16	4a
17	3b
18	3b
19	3b
20	3c
21	3c
22	3b
23	3a
24	3c
25	3c
26	3b
27	2c
28	3b
29	3c
30	3b
31	3b
32	3c
33	4b
34	4a
35	4b
36	3c
37	3c
38	3b
39	3c
40	3b
41	3a
42	3c
43	4a
44	4a
45	3c
46	4b
47	3c
48	4a

Nombreuses variantes AD

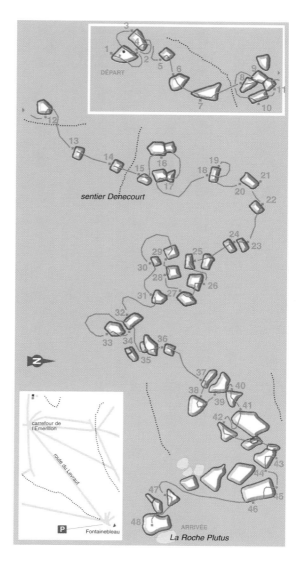

La Roche Plutus

Gorges du Houx

CIRCUITS	
Hors circuit	✗

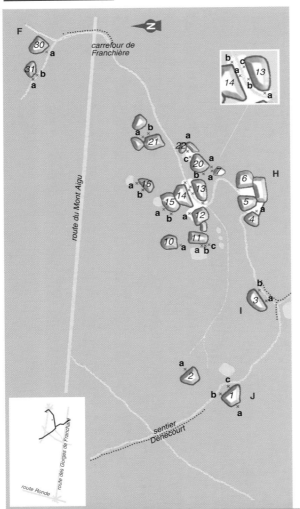

Près du carrefour de Franchière se trouve l'un des nouveaux spots de la grimpe. Au programme, une bonne trentaine de passages qui vont du 5 au 7c+, et de tout style, vous y attendent, dans une ambiance ombragée et calme. Une vingtaine de minutes sont nécessaires pour s'y rendre.

Mention particulière pour le plus impressionnant passage du site : *Inaccessible absolu*, un 7c d'une exposition folle, réalisé quelques rares fois sans corde.

Gorges du Houx
hors circuit

Ci-contre : Transition.

En bas :
Marc'O Montchaussé
dévore Gargantoit,
bons bras indispensables.

HORS CIRCUIT

bloc	voie	cotation	nom
1	a	5c	
1	b	6c	J1
1	c	6a+	J2
2	a	6c	J.J. dalle
3	a	6a	
3	b	6a	
4	a	7a+	Gargantoit *Départ assis 7b+*
7	a	6b+	
10	a	6a	
11	a	7b+	Raidemption
11	b	7b+	
11	c	6c	
12	a	6c	Transition
13	a	6c	
13	b	6b+	
13	c	7b	Soirée cubaine
14	a	5a	
14	b	6a+	
15	a	7a	Ligne de mire *Directe*
15	b	5b	
16	a	6b+	
16	b	6b+	Tempo
20	a	6b	
20	b	5b	
20	c	7a+	L'extrémiste *Sortie gauche 7b*
21	a	6a	
21	b	6c	
22	a	5c	
30	a	7c	L'inaccessible absolu
31	a	7a	Objectif Lune
31	b	7c+	De la Terre à la Lune

Le Calvaire

CIRCUITS

Orange AD ☐

Passages choisis :
- **Traversées**
1 : 6b+ (15 m)
2 : 6c+ (15m)
2° sortie par 3 : 7c (15m)
1° et 2 : 7b
2° sortie par 7 : 7a

- **Blocs**
6 : Aplat du gain, 8a+
5 : 7b
3 : 6c+
4 : 7a
7 : 5a (le passage originel)
8 : 6c

C'est d'abord un immense surplomb. Son profil caractéristique de grand auvent en a fait un lieu d'élection quand il pleut ou par grande chaleur. De très nombreuses traversées et boucles permettent d'enchaîner jusqu'à plus de cinquante mètres d'escalade physique, sans véritables repos, mais souvent sur d'excellentes prises (attention cependant, certaines écailles ne sont pas d'une solidité à toute épreuve).

A proximité, un circuit orange offre une trentaine de voies très intéressantes.

Enfin, à gauche de la grande barre de surplomb, se trouve l'un des passages les plus difficiles de la forêt qui répond au doux nom de *L'aplat du gain*. Parade indispensable pour ses trois remarquables mouvements.

Le coup d'œil sur Fontainebleau, de la croix du Calvaire, mérite un détour de quelques dizaines de mètres.

Page suivante : Alain Ghersen
lors de la première de L'applat du gain.

Paroles d'ouvreur

Cela fait plus de dix ans que je ne suis plus Parisien, et pourtant je suis surpris du caractère indélébile de certains souvenirs.

Des départs solitaires et nocturnes de Paris, à cinq heures du matin, pour avoir les conditions optimales d'adhérence ; notamment parce que, dès le printemps, la chaleur peut être gênante.

J'ai aussi en mémoire ces essais glacés lors de l'ouverture de *L'applat du gain* en plein hiver et au petit matin pour que les prises collent un peu plus et me permettent de réaliser ce problème.

De retour dans la capitale, je vivais ces ascensions presque comme une course en montagne, car leurs horaires atypiques par rapport au lieu où elles se déroulaient m'offraient un décalage que seule la montagne arrivait alors à me faire vivre. Il n'y avait que leur hauteur qui différait, mettant en exergue la dimension presque comique liée au fait que l'on puisse chercher à se dépasser sur des supports aussi petits. Bleau restera toujours lié à l'insouciance et la naissance d'une passion qui n'est pas près de s'éteindre.
Alain Ghersen

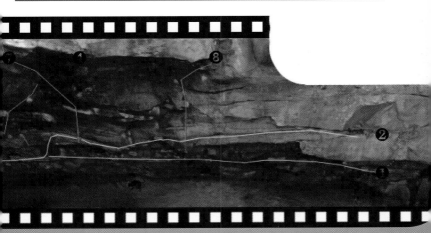

BLOCS EXTREMES DE REVE... BLOCS EXTREMES DE REVE...

L'escalade de blocs a presque un siècle, il nous est donc apparu intéressant de présenter la quintessence des ouvertures extrêmes.

Depuis le premier quatrième degré, ouvert dans les années 1910, les limites ont été régulièrement repoussées pour arriver aujourd'hui non loin du neuvième. Le siècle qui s'annonce consacrera sans doute ce niveau.

Nous avons volontairement écarté toute idée d'exhaustivité (près de deux cent cinquante blocs sont répertoriés dans les difficultés retenues) et privilégié le caractère des passages proposés.

La barre de l'extrême a été placée aux portes du 7c parce qu'il semble que c'est entre 7b+ et 7c que l'on franchit le cap déterminant qui ouvre les portes du plus haut niveau.

Pour chacun de ces passages, nous rappelons bien sûr les cotations qui ont fait l'objet d'une large consultation et reflètent le plus justement possible la réalité. Parfois, nous avons mentionné pour le même passage, l'existence d'une variante lorsqu'elle est légitime et remarquable. Variante qui pondère la cotation à la baisse ou à la hausse selon le cas.

Pour exemple, *L'ange naïf* au 95.2 peut se réaliser en 7c+, c'est le problème originel d'où la cotation 7c+, mais une variante en 7a+, utilisant d'autres prises, a été trouvée d'ou le V7a+.

Petit historique des moments clés du siècle :
1914 : le quatrième degré avec la *Prestat* au Bas Cuvier.
1934 : le cinquième degré avec *L'Angle Allain* au Cuvier Rempart.
1946 : le sixième degré avec la *Marie Rose* au Bas Cuvier.
1953 : les limites supérieures du sixième degré avec *La Joker* au Bas Cuvier.
1960 : le septième degré avec *L'Abattoir* au Bas Cuvier.
1983 : les limites supérieures du septième degré avec *L'Abbé Résina* au Bas Cuvier.
1984 : le huitième degré avec *C'était demain* au Cuvier Rempart.
1999 : confirmation du niveau 8b / 8b+ comme référence ultime du top niveau.

La Pierre philosophale *décomposée en dix temps pour un 8b.*

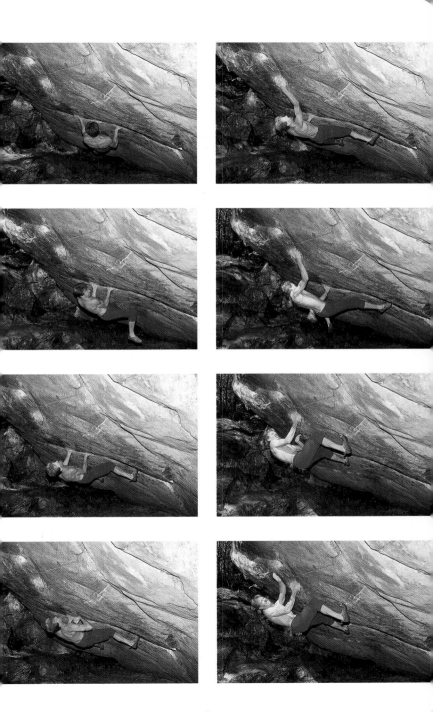

SITE OU MASSIF	NOM DU PASSAGE	STYLE	COTATION
L'étrave	Arête		7b+
Bas Cuvier	Carnage	Dévers	7b+V 7c *(V sortie par l'Abbé Résina)*
Drei Zinnen	Chat perché	Dévers	7b+
Franchard Sablons	Le modulor	Dévers	7b+
Gorges du Houx	GarganToit	Toit	7a+ V 7b+ *(V en départ assis)*
Fosse aux Loups	Super bouffon	Mur	7b+
Franchard Isatis	Mur des lamentations/12bis	Mur	7b+
Franchard Isatis	Surprise	Dévers	7b+
Cul de chien	Arabesque	Toit	7b+
Gorge aux chats	Rubis sur l'ongle	Dévers	7b+
Dame Jeanne	Plus que parfait	Arête	7b+
Gréau	Conquistadores	Mur	7b+
Cuvier Rempart	L'émeraude	Dalle	7b+
Bas Cuvier	Aérodynamite	Jump	7c
Bas Cuvier	Ange gardien	Dalle	7c
Bas Cuvier	Abbé Résina	Dévers	7c
Bas Cuvier	Infidèle	Arête	7c
Bas Cuvier	Hypothèse	Mur	7c
Cul de Chien	Eclipse	Mur	7c
Drei Zinnen	Cocoon	Dévers	7c
Cuvier Rempart	Baisers volés	Mur dalle	7c
Cuvier Rempart	Tristesse	Mur	7c
Cuvier Rempart	Noir désir	Dévers	7c V 7c+ *(V en sortant à droite) départ assis*
Cuvier Rempart	Michel ange	Dévers	7c
Cuvier Rempart	Big boss	Dévers	7c
Merveille	Dalle de fer	Dalle	7c
Éléphant	Coup de lune	Dévers	7c
Eléphant	Gargamel	Mur	7c
Eléphant	Envie d'ailes	Dévers	7c
Franchard Isatis	Arrache cœur	Toit	7c
Franchard Isatis	Gnossienne	Mur	7c
Franchard Isatis	Gymnopédie	Mur	7c
Franchard Isatis	Super joker	Mur	7c
Franchard Isatis	Alta	Dévers	7c
Franchard Isatis	Métropolis	Dévers	7c *exposé*
Buthiers	Flagrant désir	Mur	7c
Mont Ussy	Art'rete	Arête	7c
Cornebiche	Pyramidale	Dalle	7c
Franchard Cuisinière	Maudit manège	Dévers	7c *exposé*
Franchard Cuisinière	Atomic power	Mur	7c
Franchard Cuisinière	Toute peines confondues	Dévers	7c *encordé*
Gorges Houx	Inaccessible absolu	Mur	7c *exposé*
Bois Rond	Lucky Luke	Mur	7c
Roche aux Sabots	Sale gosse	Dévers	7c V 7c+ *(V en départ assis)*
Gréau	Mégalithe	Arête	7c
95.2	Futurs barbares	Mur	7c+
95.2	Ange naïf	Dévers	7c+ V 7a+ *(V en prenant à droite)*
Gorges d'Apremont	Marginal	Mur	7a+ V 7c+ *(V au milieu du mur)*

EXTREME

SITE OU MASSIF	NOM DU PASSAGE	STYLE	COTATION
Cul de chien	L'œil de la Sybille	Toit	7c+ *(départ assis)*
Rocher Cassepot	Synapses	Mur	7c+
Bas Cuvier	Antithèse	Mur	7c+
Bas Cuvier	Balance	Dévers	7c V7c+ *(V en restant à gauche)*
Cuvier Rempart	Big golden	Dévers	7c+
Cuvier Rempart	Haute tension	Mur	7c+ V 8a *(V en passant tout droit)*
Cuvier Rempart	Fourmis rouges	Dévers	7c+
Cuvier Rempart	T Rex	Dévers	7c+ V 8a *(départ assis)*
Gorges du Houx	De la terre à la lune	Dévers	7c+
Drei Zinnen	Matière grise	Mur	7c
Franchard Cuisinière	La chose	Dévers	7c+ V 7b+ *(V en passant à gauche)*
Franchard Isatis	Vin aigre	Jump	7... à7c+ *selon taille*
Gréau	Plein vol	Dalle	7c+
Rocher Saint Germain	The bloc	Dévers	7c+ V 8a *(V en départ assis)*
Rochers de Bouligny	Les beaux quartiers	Dévers	6c+ V 7c+ *(V sans l'arête)*
Buthiers	Mysanthropie	Dévers	8a
Cuvier Rempart	Atrésie	Dévers	8a
Buthiers	Partage	Arête	8a
Gorges aux Chats	Gospel	Mur	7c V8a *(V sans le trou de pied)*
Cul de Chien	L'âme de fonds	Toit	8a *(départ assis)*
Cul de Chien	L'intégrale	Toit	8a *(départ assis)*
Bas Cuvier	Digitale	Mur	8a
Cuvier Rempart	C'était demain	Mur	8a
Merveille	Merveille	Arête	8a
Envers d'Apremont [1]	L'apparement [1]	Dévers	8a
Franchard Cuisinière	Duel	Dalle	8a
Franchard Cuisinière	Karma	Dévers	8a
Franchard Cuisinière	Hale bopp	Jump	7... à 8... *selon taille*
Roche aux Sabots	Déviation	Mur	8a
Vallée de la Mée	Surplomb	Dévers	8a+ V 7c *(V en traversée depuis le bleu)*
Eléphant	Partenaire particulier	Mur	8a+ *(départ avec une pierre ou 2 pads l'un sur l'autre)*
Bas Cuvier	Golden feet	Dalle	7c+ V8a+ *(V sans le rebord)*
Cul de chien	Total eclipse	Toit	8a+ *(départ assis)*
Calvaire	Applat du gain	Dévers	8a+
Cuvier Rempart	Khéops	Arête	8b
Cuvier Rempart	Fat man	Toit	8b
Dame Jeanne	Unforgiven	Mur	8b
Envers d'Apremont	Pierre philosophale	Toit	8b
Franchard Isatis	Insoutenable légéreté...	Toit	8b+ *(le plus reste à confirmer)*

[1] passage situé à une dizaine de mètres de la Pierre Philosophale (ancien 40 du rouge Farine)

Problèmes réalisés mais dont la prise clé a cassé

Gorges d'Apremont	L'alchimiste	Dévers	8b avant
Bas Cuvier	Coup de feel	Mur	8a+ avant

Les Trois Pignons.

Accès

En raison de la multiplicité des accès, les sites grimpables des Trois Pignons sont décrits en fonction des principaux parkings situés près d'Arbonne (au nord-est), de Noisy/Croix Saint Jérome (à l'ouest), de Noisy/cimetière (au sud-ouest) et enfin du Vaudoué (au sud).

Il ne manque que la grande bleue au sable blanc du massif des Trois Pignons pour se croire en un tout autre endroit de la planète qu'aux portes de Paris.

Milly-la-Forêt, Arbonne, Le Vaudoué, Noisy-sur-Ecole… ces pittoresques villages ceignent des centaines de kilomètres carrés de forêt où la nature s'est montrée plus que généreuse en blocs de grès.

Le relief, les rochers, les sables et la végétation font de cet endroit l'un des plus populaires où cohabitent grimpeurs, randonneurs, vététistes, cavaliers ou simples contemplatifs.

Ce succès n'est pas sans danger pour la forêt qui souffre de cette fréquentation, surtout aux beaux jours. Mais certains endroits, loin des parkings, offrent encore une vraie évasion.

Des sauvages Gros Sablons à des sites plus accessibles tel la Roche aux Sabots, du magique pignon du 95.2 aux sables du Cul de Chien, des marbres de La Vallée de la Mée à l'exotique Roche aux Oiseaux, chacun trouvera aux Trois Pignons de quoi rassasier son appétit, du débutant au grimpeur confirmé.

LES TROIS PIGNONS Les origines d'un désert… clin d'œil au passé

« Encore les Trois Pignons ! » allez-vous vous exclamer, car combien d'itinéraires, combien de descriptions de ce coin de « Bleau » avez-vous pu lire. Si je vais vous convier à partir ensemble vers « la plus belle et la plus curieuse région du massif », c'est pour nous arrêter longuement sur un point méconnu et délaissé : les rochers favorables à l'escalade.

« Eh quoi ! s'écrieront certains, faire de la publicité, attirer dans ce dernier refuge de tranquillité les foules de grimpeurs ! » Qu'ils se rassurent. Premièrement, les Trois Pignons ça restera toujours à quelques 2 ou 3 heures de marche de la gare… Deuxièmement, les Trois Pignons n'ont, du point de vue de l'escalade, qu'une valeur secondaire…

« Eh quoi, s'écrieront d'autres, codifier, embrigader, dresser des plans, quel sacrilège ! ». Un tel raisonnement amènerait à condamner l'œuvre d'un Denecourt… Et vouloir conserver pour un petit groupe d'initiés le charme particulier de tel ou tel coin = prétention qui date du franc-or et du 3 %.

… Il y a encore une dizaine d'années, ce n'est pas sans une certaine crainte qu'on abordait le massif des Trois Pignons et qui ne s'est pas égaré un jour dans cette immense lande ? … Les immenses bois de pins ont été ravagés soit par l'incendie, soit par un déboisement – qui dépasse les limites du bon sens… Ceux qui ont connu la région des Trois Pignons il y a quelques années, ne peuvent y revenir sans évoquer, avec regret et amertume, cette mer de forêt qui les attendait ; ils ne peuvent oublier ces épaisses couches de mousse où l'on enfonçait jusqu'à mi-jambe… Mais après les années 43, 44, 45, à part de rares bosquets, partout le désert, le sable à nu, les souches calcinées…

Extraits d'un article écrit en 1948 par Maurice Martin dans *Le Bleausard :* « Escalade et Trois Pignons ».

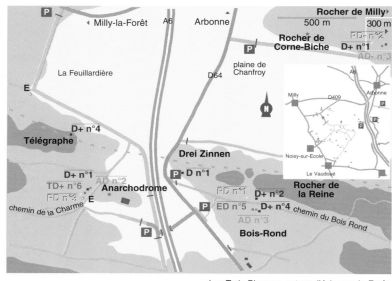

Les Trois Pignons, autour d'Arbonne-la-Forêt.

Calme et sérénité au Bois-Rond.

Chloé sur une arête technique.

Bois-Rond

CIRCUITS	
Orange AD	
Bleu D+	
Rouge ED-	

Si deux mots pouvaient qualifier cet endroit, ce serait sans aucun doute calme et sérénité ; s'il n'y avait l'autoroute, nuisance sonore en particulier par vent d'ouest. Les circuits s'étirent au cœur d'un petit bois paisible qui donne à l'escalade, par ailleurs fort plaisante, un cachet supplémentaire. Le niveau de difficulté, généralement raisonnable, permet aux grimpeurs de se composer un répertoire gestuel complet et de goûter aux agréments des traversées, très nombreuses dans les circuits présentés.

Sébastien Frigault, De la terre
à la lune *(Gorges du Houx).*

Bois-Rond

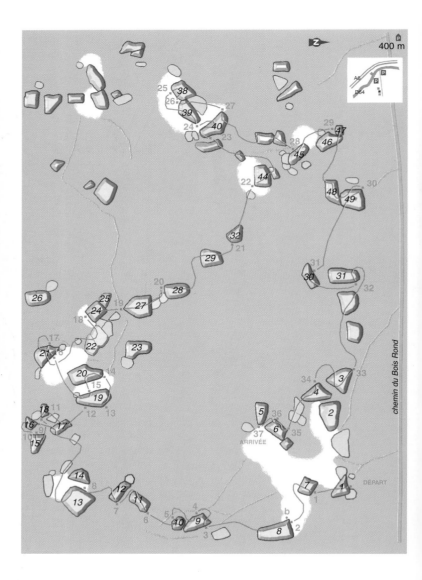

CIRCUIT ORANGE	voie	bloc	cotation
	0	1	2c
	1	7	3a
	2	8	3b
	2b	8	2c
	3	9	3c
	4	9	3b
	5	10	3b
	6	11	3b
	7	12	2c
	8	13	3c
	9	16	2c
	10	15	3a
	11	18	3b
	12	19	3a
	13	19	3a
	14	20	3a
	15	19	3a
	16	21	3b
	17	21	3b
	18	24	2c
	19	27	3b
	20	28	3b
	21	32	2c
	22	44	2b
	23	40	4a
	24	39	3a
	25	38	3b
	26	39	3a
	27	40	3b
	28	45	3a
	29	47	3a
	30	49	3c
	31	30	3a
	32	31	4a
	33	3	3a
	34	4	3b
	35	6	3b
	36	6	3b
	37	5	3a

Bois-Rond

circuit bleu

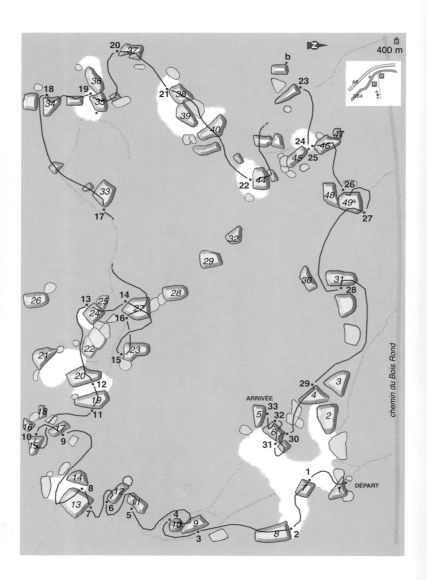

L'aérolithe fantôme

Cette histoire reflète bien l'humour des bleausards d'après guerre. Elle nous a été racontée par Robert Paragot, grand par le talent et aussi par l'esprit. Pour preuve cette curieuse blague qu'il réservait à ses amis les lendemains de beuveries dans les nombreux bivouacs du Cuvier Rempart. Le départ du circuit jaune se trouve sur un bloc posé sur un socle surnommé L'aérolithe. Une fois gravi ce bloc, il attendait qu'un autre soit au départ pour se poster de l'autre côté et peser de tout son poids sur ce fort gros bloc et ainsi le faire osciller légèrement. Assez toutefois pour rendre au grimpeur l'impression d'être encore saoul et de retourner prestement s'allonger. Bien sûr le stratagème n'était révélé que plus tard et l'initié devenait alors instigateur de la farce. Certains d'ailleurs ne l'ont jamais su ; peut être le liront-ils dans ces lignes plus de quarante ans après. Essayez à l'occasion, ça marche encore.

CIRCUIT BLEU

voie	bloc	cotation
0	1	4b
1	7	5b
2	8	5c
3	9	4c
4	10	4b
5	11	4b
6	12	4c
7	13	4c
8	14	4b
9	17	5a
10	15	4c
11	19	4b
12	20	4c
13	24	4c
14	27	4c
15	23	4b
16	27	4c
17	33	4c
18	34	4a
19	35	5a
19b	35	4b
20	37	4b
21	38	4c
22	44	4c
23b	41	4c
23	42	4b
24	45	5b
25	46	5b
26	49	4c
27	49	4c
28	31	5b
29	4	4b
30	6	5a
31	6	5b
32	6	4a
33	5	5a

Bois-Rond

circuit rouge

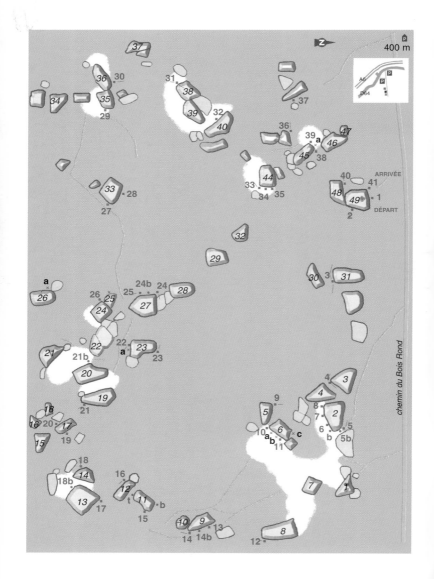

CIRCUIT ROUGE

voie	bloc	cotation	nom
1	49	5b	
2	49	6a	
3	31	6a	
4	3	6b	
5b	2	6c	Modokasi
5	2	6c	Kasimodo
6b	2	5b+	Mur du rouge
6	2	6a	Silver lago
7	2	6a	Little shakespeare
8	2	5b	Hamlet
9	5	6a	Friction et réalité
10	6	5c	Objectif grand angle
11	6	6a	Planète morphos
12	8	6a+	Haute calorie
13	9	5c	Glasnot
14b	9	5a	Point d'équilibre
14	9	6b	Regard de statue
15b	11	6a	Les grattons laveurs
15t	11	6b	Morphotype
15	11	5c	L'amie dalle
16	12	5c	L'attraction des pôles
17	13	5c	
18b	13	6c+	La Michaud
18	14	6c	
19	17	6a	Prise de becquet

voie	bloc	cotation	nom
20	17	6a	Ponction lombaire
21b	20	7a	Le tourniquet du 93.7 *Tour de bloc*
21	19	5b	
22	23	6a	Le meilleur des mondes
23	23	6a+	La théorie des nuages
24b	27	7a	
24	27	5c	
25	27	6a	
26	24	5b	Razorback
27	33	6a	Gilette pare dalle
28	33	5c	
29	35	6c	Aero beuark
30	36	6b	Super vista
31	38	5b	
32	40	6c	
33	44	5c+	L'otan en emporte le vent
34	44	6c	Galla lactique
35	44	6c	Constellation des amoureux
36	43	5b	
37	42	5c+	Le long fleuve tranquille
38	45	6b+	Le vélo de max
39	45	5c	L'appui acide
40	48	5c	
41	49	5c	Fritz l'angle

Bois-Rond

hors circuit

HORS CIRCUIT

voie	bloc	cotation	nom
a	6	7c	Lucky luke
b	6	7b	Sensation
c	6	7a	Jo Dalton
a	23	7a+	Spyder bloc
a	25	7a+	Bande passante *Traversée G>D*
a	26	7b	Les plats *Traversée G>D*
a	45	7a	Le Boudha peste *Traversée haute G>D*

La magnésie, le petit sac de courage.

Canche aux Merciers

CIRCUITS

Blanc enfants	❏
Jaune PD-	❏
Orange AD	●
Bleu D+	●
Rouge TD+	●
Bleu Télégraphe	❏

L'ouverture d'une séance de friction pour Bernard Théret.

Il n'y a pas si longtemps de cela, ce site se voyait affubler du doux sobriquet de « canche aux merdiers » ; les militaires y élisant régulièrement domicile pour s'entraîner.

Heureusement, les douilles de balles à blanc et autres munitions ont tendance à disparaître et les grimpeurs aiment à venir ici pour grimper en famille et parcourir les nombreux circuits d'initiation où le rocher particulièrement prisu rend l'escalade un peu moins agressive qu'ailleurs. Mais attention au polissage de certaines prises de pied, il rend la réussite aléatoire et la cotation surprenante.

La mode des traversées des années quatre-vingts a permis d'exploiter une dimension alors inconnue de ce site où la faible hauteur des blocs est devenue un atout pour de nouveaux jeux horizontaux.

LES CHEMINS DE TRAVERSE

L'iceberg.

Lorsque les grimpeurs se sont lassés de la verticale, ils ont inventé un nouveau jeu et c'est à l'horizontale qu'ils sont partis à la conquête de nouveaux gestes. Traverser est devenu dans les années 90 un jeu très en vogue et plus de mille traversées de tout niveau ont été ouvertes dans la forêt.

Les cotations en traversée

Chaque cotation possède une spécificité propre. Celle des traversées prend en compte un certain nombre de critères qu'il est bon de rappeler. A noter qu'une traversée est réalisée quand on a réussi à rejoindre le point d'arrivée depuis le point de départ sans chute ni repos au sol.

Le Derviche tourneur.

Critères de la cotation traversée :
• La difficulté intrinsèque du ou des mouvements les plus difficiles.
• Une prise en compte de la notion d'enchaînement de plusieurs mouvements (de 7 mouvements pour les plus courtes à plus de 60 pour les plus longues).
• La présence ou non de points de repos naturels.

• Le temps d'apprentissage nécessaire à la réalisation de l'enchaînement.
• L'aspect aléatoire de certains mouvements : prises qui nécessitent une excellente adhérence, mouvements difficiles à réaliser à tous les coups.
• Le critère morphologique : éloignement des prises, disposition.
• La référence aux autres traversées pour obtenir une homogénéité.

En guise de conclusion

Une cotation traversée n'a rien à voir avec une cotation bloc, et a fortiori une cotation en falaise. Ce système de cotation hybride se situe à mi-chemin entre la première, très sèche par définition puisque basée sur un effort explosif par excellence, et la seconde, reposant sur des problèmes de résistance.
En tout état de cause, ces cotations sont toujours proposées par l'ouvreur et pondérées par les répétiteurs.

L'iceberg.

TRAVERSEES DE REVE... TRAVERSEES DE REVE... TRAVERSEES DE REVE... TRAVERSEES DE REVE...

GRIMPEURS	MASSIF	NOM	SITUATION	COTATION	SENS	LONGUEUR EN METRES	NOMBRE DE MOUVEMENTS
	Bas Cuvier	Ballade	bloc du 33 orange	3a	G>D	5	15
	Bas Cuvier	Voyage	31 orange	5a	G>D	6	12
LES PREMIERS PAS	Rocher fin	Cool bloqueur	25 rouge	5a	G>D	10	20
	Eléphant	Odyssée des trous	5 vert	5b	D>G	6	10
	Beauvais est	Soleil cherche futur	4 rouge	5c	G>D	5	15
	Dame jeanne		26 rouge	5b	G>D	7	15
	Bas Cuvier	Crampes	13 rouge	6a+	D>G	6	12
	Bas Cuvier	Longue marche	14 rouge	6b+	G>D	12	17
	Bas Cuvier	Derviche	27 bleu	5b	D>G	4	7
	Dame Jouanne	Pontet bas	18 noir	6a+	D>G	6	15
ENCORE TRANQUILLE	Dame Jouanne		départ rouge requin	6a+	D>G	7	15
	Beauvais est	Crawl en mer noire	29 noir	6c	D>G	13	20
	Beauvais est	Le confit de canard	11 rouge	5b	G>D	12	13
	Eléphant	Ras de sol	40 noir	6b+	D>G	9	15
	Rocher Canon	L'académicienne	excentré (sentier bleu)	6c+	G>D	10	20
	Rocher Canon	Levitation	44 rouge	7a	G>D	6	12
	Eléphant	Traversée des dieux	15 noir	6c+	G>D	12	20
	Eléphant	Bout du monde	platière excentrée	7a	D>G	12	15
	Bas Cuvier	Kilo de beurre	41 rouge	7a+	G>D	15	25
DEJA SERIEUX	Bois-Rond	Le tourniquet...	21b rouge	7a+	G>D	25	30
	Beauvais est	La magie noire du derviche	13 noir	6c+	G>D	10	18
	Canche	Double face	25 rouge	7a	D>G	8	15
	Canche	Ni vieux ni bête	secteur Anarchrodrome	7a+	D>G	13	35
	Canche	Coup bas	15b rouge	7a	G>D	8	15
	Roche aux Sabots	Rumsteack en folie	31 rouge	7a	G>D	20	30
	Roche aux Sabots	Tourniquet	1 jaune	7a	D>G	15	25
	Franchard Cuisinière	Descente aux enfers	4 noir	7a	G>D	4	10
	Cuvier Rempart	Johannis	au-dessus de Big boss	7a+	D>G	7	12
	Cuvier Rempart	Le bivouac	22 noir Trivellini	6c	G>D	5	8

GRIMPEURS	MASSIF	NOM	SITUATION	COTATION	SENS	LONGUEUR EN METRES	NOMBRE DE MOUVEMENTS
	Franchard Isatis	L'intégrale	5 rouge	7a+	G>D	12	20
	Calvaire	La totale	barre du calvaire	7a	G>D	20	35
	Buthiers	Petite sirène	face auberge Robinson	7a+	D>G	6	12
	Franchard, route Ronde	Petit homme	carrefour Occident	7b+	G>D	12	15
	Cuisinière	Eclipse	face 45 blanc	7b+	D>G	9	15
	Cuvier Rempart	Swell	avant la Merveille	7b+	D>G	7	15
	Cuvier Rempart	Les pieds nickés	secteur Duroxmanie	7c+	G>D	8	12
	Bas Cuvier	Banlieue nord	envers 21 bleu	7b+	G>D	8	16
	Buthiers	Mygale	secteur tennis	7b+	G>D	15	25
ACHARNES	JA Martin	Jardin secret	route du Rocher Caillaud	7b+	G>D	12	15
	Rocher Canon	Trois graines	ouest du massif	7b+	D>G	15	25
	Rocher Canon	Vagabond des limbes	bloc du 44 rouge	7b+	G>D	12	24
	Eléphant	Monsieur plus	24 noir	7b+	D>G	9	13
	Cuvier Rempart	Les petits anges	Carré d'as	7b+	G>D	12	25
	Franchard Sablons	Trainée de poudre	5 rouge	7c	G>D	5	7
	Rocher Saint Germain	La cité perdue	excentré	7c+	D>G	12	16
	Rocher Saint Germain	Double croche	secteur Danse...	7c+	G>D	6	10
	Rocher Saint Germain	Danse de printemps	secteur Danse...	7b+	D>G	12	20
	Rocher Canon	Crescendo	40 rouge	7c+	D>G	12	25
	Cuvier Rempart	Massacre...	proche 1 noir	7c	G>D	10	15
	Franchard Sablons	Voltane	Chemin des Epines	8a	D>G	12	20
	Franchard Isatis	Iceberg	55 rouge	8a	D>G	20	25
	Franchard Cuisinière	Laisons futiles	envers 44 blanc	8a	D>G	9	12
	Bas Cuvier	Obsession	6 noir	7c+	G>D	10	20
TOP NIVEAU	Bas Cuvier	Mouvement perpétuel	11 bleu	8b	D>G	15	40
	Rocher Saint Germain	Sonate d'automne	Danse de printemps	8b+	D>G	5	25
	Rocher Canon	Légende	bloc du 44 rouge	8a	G>D	16	37
	Buthiers	Coccinelle	secteur tennis	8a	G>D	7	12
	Canche	Colonne durutti	secteur Anarchodrome	8a	G>D	20	45

REVE DE TRAVERSEES... REVE DE TRAVERSEES... REVE DE TRAVERSEES... REVE DE TRAVERSEES...

Canche aux Merciers
circuit orange

voie	bloc	cotation
0	2	2c
1	2	3b
2	3	3a
3	1	3b
4	4	3a
5	6	2c
6	7	3b
7	10	4b
8	13	3a
9	14	3b
10	15	2c
11	16	3a
12	20	2c
13	22	3a
14	29	3a
15	30	3c
16	31	3a
17	32	4a
18	51	2b
19	51	3b
20	53	3c
21	56	2c
22	57	3c
22b	57	2b
23	58	3a
24	59	2c
25	60	2b
26	61	3b
26b	61	4a
27	70	1c
28	72	2a
29	73	3c
30	74	3a
31	75	2b
32	76	4b
33	77	3b
34	78	2a
35	79	3b
36	71	2c
37	47	1a
38	46	4a
39	45	3b
40	39	3a
41	38	3c

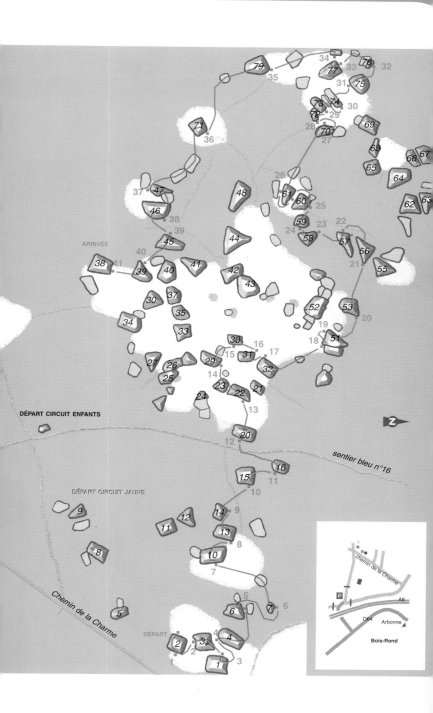

Canche aux Merciers
circuit bleu

Comme un parfum d'hiver sur le très technique « bleu » de la Canche.

CIRCUIT BLEU

voie	bloc	cotation	voie	bloc	cotation
1	2	4c	22b	53	4b
2	3	5a	23	56	4c
3	1	4b	23b	56	3c
4	4	5a	24	55	3c
4b	4	4a	25	62	5a/4a
5	10	4a	26	64	4b/6b
6	11	4a	27	65	5b
7	12	4c	27b	65	4b
8	13	5a	28	69	4b
9	15	3c	29	75	4b
10	22	4c	30	75	3c
10b	22	4a	31	77	5a
11	24	5b	32	79	4b
12	27	3b	33	48	4b
12b	27	3c	34	46	4b
13	34	3c	34b	46	4b
14	33	4b	35	45	5a
14b	33	5b	36	40	3c
15	28	4c	37	41	3b
16	29	5a	38	42	4b
16b	29	4b	39	43	4c
17	23	5a	39b	43	4a
18	31	4a	40	33	4a
19	32	5b	41	37	4b
20	50	4b	42	39	5a
21	51	3c	44	38	5b
22	52	4b	44b	38	4b

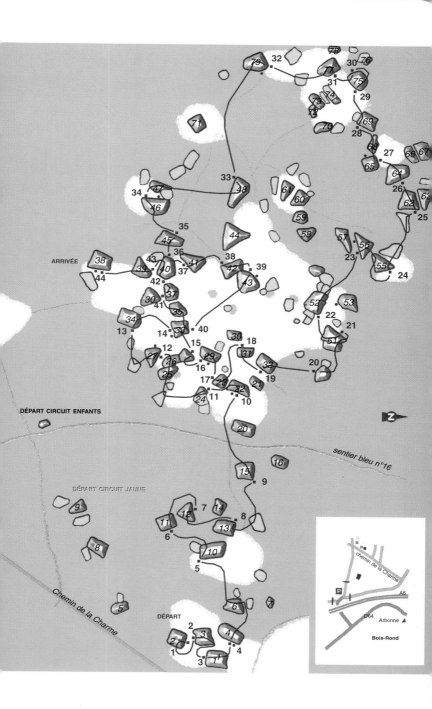

Canche aux Merciers
circuit rouge

voie	bloc	cotation	nom	voie	bloc	cotation	nom
1	8	5a	Départ - Ca dérape sec	17	79	5c	Vous avez dit gros bœuf
2	5	5c	Les nineties	18	79	5c	Equilibriste
3	2	5c	L'autoroute du Sud	19	46	5a	Beau pavé
3b	2	5c		20	46	6a	Okilélé
4	1	4c	La débonnaire	21	45	5a	Triste sire
5	3	5c	Maurice Gratton	22	45	5c	Grande classique
6	3	6a	La goulotte à Dom	23	40	5b	Lune rousse
7	10	5b	Le croisé magique	24	40	5c	Rève de chevaux blancs
8	13	5c	Par Toutatis	25	38	5c	La conti
9	21	5b	Le beau final	26	38	6a	Uhuru
9b	22	5c	variante	27	39	5c	L'air de rien
10	31	6a	Bobol's come back	28	40	5b	L'hésitation
11	52	6a	Pas pour Léon	29	36	6b	Les doigts d'homme
12	52	6b+	Gueule cassée	29b	36	6c	Kaki dehors
13	52	6a	Jeu de jambes	30	34	5c	La femme léopard
13b	52	5c	Le piston	31	34	5b	Hatari
14	54	5c	Sortie des artistes	32	33	6b	Glycolise
15	60	6a	L'enfer des nains	33	26	4c	Récupactive
15b	60	7a	Coup bas	33b	26	5c	Arrivée - Gros os
16	77	6b	Chouchou chéri				

Canche aux Merciers
hors circuit

voie	bloc	cotation	nom	voie	bloc	cotation	nom
a	3	7a+	Infusion du soir	b	52	8a	Jacadi
a	33	7a	Crise de l'énergie *Traversée basse*	c	52	8a	Saut de puce *Fissure*
a	35	7a		a	57	6c	*Traversée D>G*
a	38	7a	Double face *(7b par le bas)* *Traversée G>D*	a	61	7b	*Traversée D>G*
a	42	7b	P'tit bras *Traversée D>G*	a	68	7b	Séance friction *Traversée D>G*
a	43	6b	Les bons plats *Traversée D>G*	A		7a+	Ni vieux ni bête *Traversée D>G*
a	44	7b	*Traversée G>D*	B		7c	Soléa pour Valérie *Traversée G>D*
b	44	6c+	Le nez *Toit*	C		8a	La colonne Durruti *Traversée G>D*
a	52	7b+	Rage dedans				

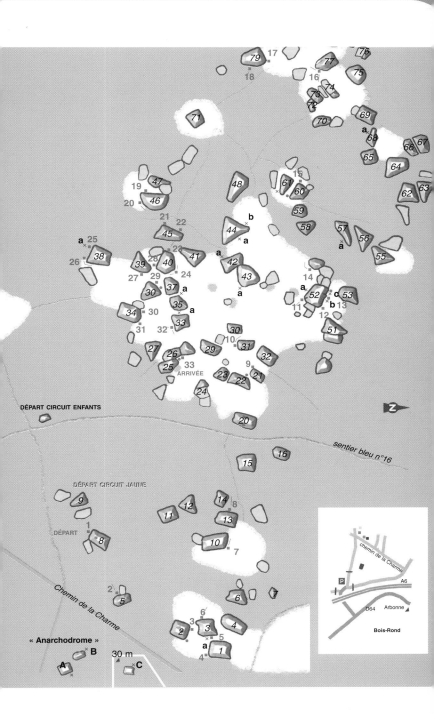

DÉPART CIRCUIT ENFANTS

sentier bleu n°16

DÉPART CIRCUIT JAUNE

DÉPART

Chemin de la Charme

« Anarchodrome »

30 m

ARRIVÉE

chemin de la Charme

A6

D64   Arbonne

Bois-Rond

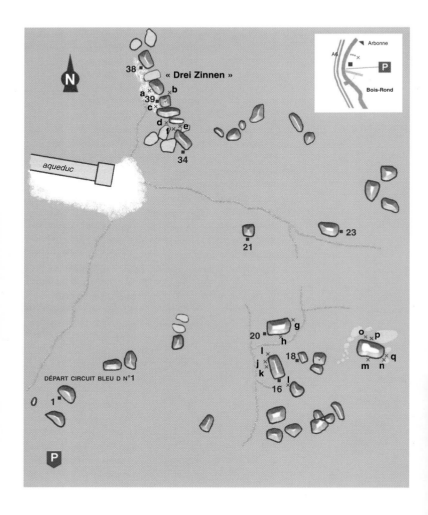

N

38 ■ « Drei Zinnen »

a ×   b
39 ■
c ×
d   e
f × ×
34 ■

aqueduc

Arbonne
A6
P
Bois-Rond

21 ■

23 ■

20 ■   g
h

l
j ×   18 ■
k   o × p
16   l   m   n   q

DÉPART CIRCUIT BLEU D N°1

0   1 ■

P

Drei Zinnen

CIRCUITS

Bleu D	❑
Hors circuit	✗

Les trois tours… C'est dire si certains blocs, dont le nom fut inspiré par les célèbres Tre Cime des Dolomites sont hauts dans ce site perché à flanc de colline. La proximité de l'autoroute qui perfore la forêt se rappelle constamment à notre souvenir en distillant à loisir bruit et pollution. Ce site historique connaît une seconde jeunesse à la fin des années quatre-vingt-dix grâce notamment à l'ouverture de quelques lignes majeures qui comptent parmi les plus beaux passages d'escalade. L'occasion de pénétrer de plain pied dans un univers hors piste et de découvrir les possibles tendances du troisième millénaire : retour d'un certain engagement et nouvelles conventions tels les départs assis et l'absence de fléchage.

Jean-Pierre Bouvier expose dans Le désert des Tartares.

voie	cotation	nom
a	7c	Matière grise
b	7c+/8a	Désert des tartares
c	7a+	Sans le baquet
d	6c	
e	6b+	
f	6c+	
g	5c	
h	6b+	Traversée
i	7a+	La mer des larmes
j	6b	L'exterminateur d'écailles
k	7b+	Chat perché
l	7b+	Close contact *Départ assis*
m	7b+	*Départ assis*
n	7b+	Cocoon
o	7b+	Bifurcation (gauche) *Départ assis*
p	7a+	Diversion (droite) *Départ assis*
q	6a+	*Engagé en sortie*

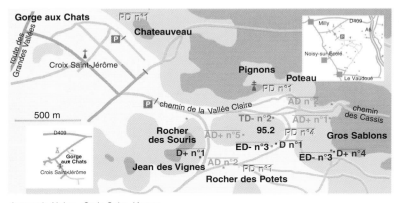

Autour de Noisy - Croix Saint-Jérome.

*Une aurore toute boréale
éclaire ce site de rêve.*

La Gorge aux Chats

CIRCUITS

Passages choisis :

Voies inférieures à 5a	✗
Voies de 5a à 6c+	✗
Voies de 7a et plus	✗

Situé à la lisière de la forêt des Trois Pignons, le site de la Gorge aux Chats (chat étant un diminutif de châtaignes et non la charmante bête à quatre pattes) ne manque pas de charme. Sa popularité s'est construite autour de sa tranquillité et d'un passage remarquable situé au sommet du pignon nommé fort justement *Rubis sur l'ongle*.

Plusieurs circuits ont été tracés, puis définitivement effacés pour des problèmes de stationnement. Aujourd'hui l'escalade reste autorisée. Les passages présentés sont une synthèse des problèmes les plus intéressants, toutes difficultés confondues.

Bien exposés aux vents, les blocs sèchent très vite après une pluie. C'est une des raisons qui explique que les grimpeurs aiment à y revenir. L'occasion aussi d'un beau point de vue sur les villages environnants.

Jeté esthétique sur l'ocre des marbres.

La Gorge aux Chats

passages choisis

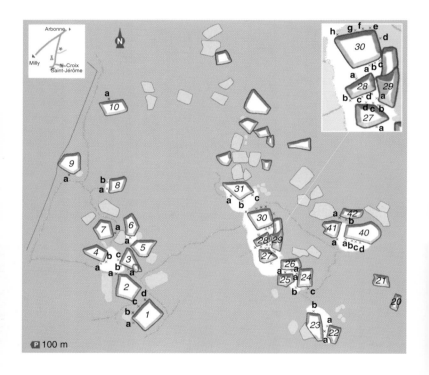

Laurent Laporte au repos (Cuisinière).

PASSAGES CHOISIS

bloc	voie		cotation	nom	bloc	voie		cotation	nom
1	a	✗	5a		27	c	✗	7a	Pierre vicieuse
1	b	✗	4c		27	d	✗	5b	Le cyclope
1	c	✗	6a		28	a	✗	6a+	
1	d	✗	4a		28	b	✗	4b	
2	a	✗	3c		28	c	✗	8a	Gospel
3	a	✗	5c		28	d	✗	7b+	Rubis sur l'ongle
3	b	✗	5c		29	a	✗	6b	Travaux forcés
3	c	✗	5b		30	a	✗	5c	
4	a	✗	6a		30	b	✗	6b	
4	b	✗	7a+	Le pare dessus	30	c	✗	6b	
6	a	✗	3c		30	d	✗	6b	
7	a	✗	4b		30	e	✗	4b	
8	a	✗	5b		30	f	✗	4c	
8	b	✗	5c		30	g	✗	5c	
9	a	✗	4b		30	h	✗	4a	
10	a	✗	4a		31	a	✗	4b	
22	a	✗	6b		31	b	✗	6a	
23	a	✗	3b		31	c	✗	3c	
23	b	✗	6b		40	a	✗	6a	
24	a	✗	3c		40	b	✗	6a	
24	b	✗	6b		40	c	✗	6a	
24	c	✗	7a	Ca pelle au logis	40	d	✗	6b	*Traversée D>G*
25	a	✗	4a		41	a	✗	4a	
26	a	✗	6b		42	a	✗	4c	
27	a	✗	5c		42	b	✗	6b	
27	b	✗	5c						

95.2

CIRCUITS

Jaune PD+	❏
Bleu D	●
Rouge TD-	●
BLANC ED-	○
Hors circuit	✗
Hors site	★

En plein cœur de la forêt des Trois Pignons, le 95.2 représente la quintessence de l'escalade bleausarde. Au milieu de nulle part, un pignon jaillit comme par magie. Sur ses flancs, partout, des blocs de toutes formes, de toutes hauteurs et le sable qui évoque trop la plage pour avoir envie de faire un effort vertical. Pourtant des années cinquante aux années soixante-dix, chaque rocher sera doté de petites flèches de couleurs avec une spécificité particulière : le grattonnage.

Les belles journées d'hiver, il y a foule sur ce pignon pour profiter du soleil et d'une adhérence maximum.

Respectez les sentes et les passages, l'érosion doit être contenue pour que les générations futures puissent profiter elles aussi de la beauté de ce site.

Doigts d'acier de rigueur pour Les futurs barbares.

DES PIEDS ET DES MAINS

On pourrait croire que la force joue le rôle essentiel en bloc. Ce serait oublier la notion d'équilibre, tout aussi fondamentale, notamment dans les arêtes et les dalles qui sont une forme de quintessence de l'art bleausard et qui ne nécessitent pas d'être un athlète pour les aborder. Comprendre c'est pratiquer. Les passages suivants vous sont proposés ; ils représentent dans tous les niveaux ce qui se fait de mieux et pourront sans aucun doute vous aider à appréhender cet autre maître mot de l'escalade en bloc : la subtilité des placements.

Cinquième degré

A Apremont, *La science friction*, n°34 rouge (5c) et *La balafre*, n°24 saumon (5b)
L'arc de cercle (n°12 bis rouge), au 91.1 (5b)
Le n°1 noir à Buthiers, secteur Canard (5b)
Les n°1 et n°12 du circuit noir au Puiselet (5b)
La pyramide au Rocher Gréau (5b)
Le n°1 rouge à la Vallée de la Mée (5a)
La piscine, n°4 noir, aux Gros Sablons (5c)
La dalle Icare, n°6 rouge, à Chamarande (5a)

Sixième degré

Le pilier légendaire, n°33 noir, à l'Eléphant (6c)
Le pilier Droyer (envers du Mur de la mort) à l'Eléphant (6c+)
La super fresque, n°27 noir, à Buthiers (6c)
Le n°48 blanc à Franchard Cuisinière (6b)
Coup de blues, n°4 noir, à Beauvais est (6c)
Le carré d'as (n°30, arrivée du noir Trivellini) au Cuvier Rempart (6c)
Le n°22 noir à la Dame Jeanne (6a)
Le n°12 rouge au 91.1 (6a)
Le n°50 blanc de l'Isatis (6b)
La Stalingrad (n°15 blanc) sur le circuit blanc du Bas Cuvier (6b)
Le n°32 rouge au Bas Cuvier (6a)
La Tarentule (n°13 blanc) aux Gorges d'Apremont (6c)
Le départ du circuit rouge de la J.A Martin (6c)
Le n°3 rouge au Rocher Guichot (6b)
L'Everest, n°22 blanc, au 95.2 (6a)
Le dé à coudre, n°46 noir, au Cuvier Rempart (6c)
L'œuf, n°25 noir du Petit Bois (6c)
L'étrave à sucre, n°4b noir et blanc, à Beauvais est (7b)

Septième degré

L'émeraude au Cuvier Rempart (7b+)
La super forge (7a) et *La super Prestat* (7b+) au Bas Cuvier
Le sourire de David (7a) et *La dalle de fer* à la Merveille (7c)
Monument dalle, n°26 noir, à la Dame Jeanne (7a)
La dalle d'Alain, 2m à gauche du n°24 bleu ciel aux Gorges d'Apremont (7a+)
Calamity Jane (7b) et *Cosa nostra* (7c) à la Dame Jeanne d'Avon
La diagonale à l'envers du n°31 noir à l'Eléphant (7a+)
Plein vol au rocher Gréau (7c+)
Onde de choc, en face du n°30 saumon (7b)
Le dernier angle, vers la Roche aux Sabots (7c)
La figure de proue à L'éléphant (7a)
Danse avec les loups, n°32b blanc, au 95.2 (7a)
Excalibur, n°3 noir, à Franchard Cuisinière (7a)
L'angle parfait, n°23 blanc (7a+), et *L'angle plus que parfait* (7b+), à la Dame Jeanne
A l'impossible (rouge et blanc, à gauche du n°24 rouge) à la Roche aux Sabots (7a+)

Huitième degré

Duel à Franchard Cuisinière (8a)
Partage à Buthiers Malesherbes (8a)
La merveille à La Merveille (8a)
Khéops au Cuvier Rempart (8b)

95.2

Même la nuit ne repousse pas les irréductibles bleausards.

voie	bloc	cotation
1	2	4b
2	1	4b
3	7	4c
4	3	3c
5	8	4c
6	9	4c
7	11	3b
8	16	5a
9	10	4b
10	15	4b
11	25	3c
12	16	4b
13	22	4c
14	23	3c
15	35	4b
16	36	5b
17	39	4b
18	41	3c
19	38	4c
20	37	4b
21	38	3c
22	33	3b
23	32	4b
24	31	4b
25	29	4a
26	28	3c
27	28	4a
28	30	4c
29	60	4b
30	61	3c
31	62	3c
32	64	4b
33	65	4b
34	67	4c
L'ectoplasme		
35	65	5a
36	66	3c
37	68	3b
38	68	5a

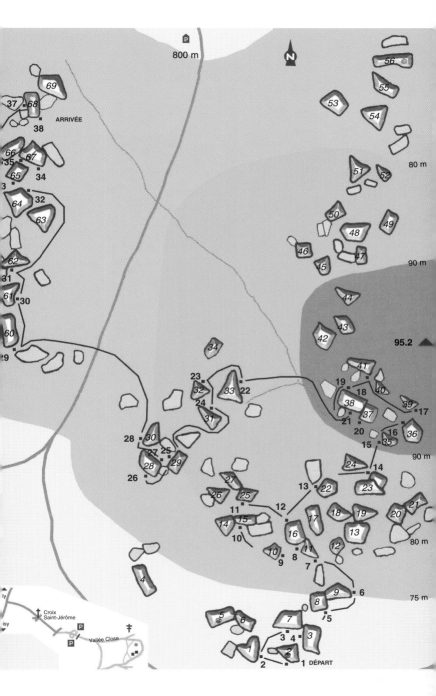

95.2

circuit rouge

Tout en équilibre sur les dalles du 95.2.

CIRCUIT ROUGE	voie	bloc	cotation
	1	56	4a
	2	56	4b
	3	55	4c
	4	54	4b
	5	53	4c
	6	51	4c
	7	49	4b
	8	48	3c
	9	50	4c
	10	46	4c
	11	45	5b
	12	44	4b
	13	42	4c
	14	43	4b
	15	38	4c
	16	37	5a
	17	36	5c
	18	20	4a
	19	21	5b
	20	12	4c
	21	13	4c
	22	19	5b
	23	22	4b
	24	23	4b
	25	24	5a
	26	17	4b
	27	9	5b
	28	2	5a
	29	2	5a
	30	7	4b
	31	1	4b
	32	5	5a
	33	16	4c
	34	15	5a
	35	26	4c
	36	27	4a
	37	28	5a
	38	28	4c
	39	29	4b
	40	33	4c
	41	34	4c
	42	32	5a
	43	62	5b
	44	64	5b
	45	63	5b
	46	64	4c
	47	67	5c

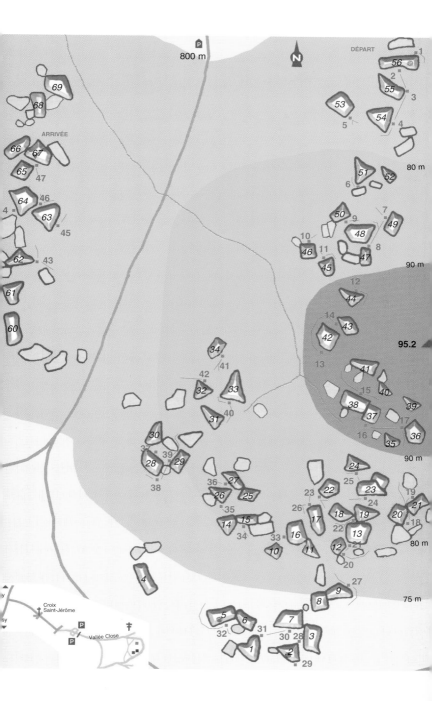

95.2

circuit blanc et variantes HC

CIRCUIT BLANC

voie	bloc	cotation	nom		voie	bloc	cotation	nom
1	5	5b	Le kilo de beurre		21	55	5a	
2	6	6b	La Poincenot *Sans prise taillée 7a*		22	56	5b	
					23	56	5b	
3	7	5c			24	67	5c	
3b	7	7a+	Le bloc à Bertrand		24b	67	6b	
3t	7	7a+			25	67	6a	
4	13	6a			26	65	5b	
5	13	6b			27	64	5b	
6	13	5a			28	63	4c	
7	36	6a			28b	63	7a	
8	38	5b			29	33	5c	
9	38	5b			29b	33	7a	Miss KGB
10	38	6a			30	33	6a	
10b	38	6b			30b	33	7a+	Mister proper
11	41	5c			31	33	5c	
11b	41	6b+			31b	33	7a	Tarte aux poils
12	42	5c			32	28	7a	La fosse aux ours
13	43	5b			32b	28	7a	Danse avec les loups
14	48	5a			32t	28	7a	
15	50	5a			33	29	5c	
16	50	5b			34	26	5c	
17	51	5c			35	14	5b	
18	51	6b			36	4	5b	
19	52	6a			37	4	5c	*Variante directe 6b*
20	54	5b						

VARIANTES HORS CIRCUIT

bloc	voie	cotation	nom
5	a	7a+/ 7c+	L'ange naïf *Selon méthode*
12	a	7b+	Le médaillon
40	a	7a+	Le p'tit toit
67	a	7c+	Futurs barbares
68	a	7b+	Absinthe
69	a	7a	Pierre précieuse (Yaniro)
69	b	7a+	*Arête de gauche*

HORS SITE

voie	cotation	nom
A	7a	Oxygène / Oxygène actif *Traversée D>G / aller-retour 7b*
B	7b	Yogi
C	7b	Prouesse
D	7a+	Extraction terrestre
E	7a	Surplomb du bivouac

E ncore un symbole fort de l'escalade des années soixante-dix et qui reste une référence à Fontainebleau. L'escalade en dalle et les multiples subtilités de placement que le style requiert y sont à l'honneur. Le tout dans une ambiance « grand large » spécifique au site.

Sa popularité pose, comme en d'autres endroits mais avec une acuité particulière, le délicat problème de l'érosion. C'est pourquoi on y trouve de nombreuses terrasses aménagées çà et là par les grimpeurs soucieux de la pérennité de leur terrain de jeu, l'ONF et le CO-SI-ROC.

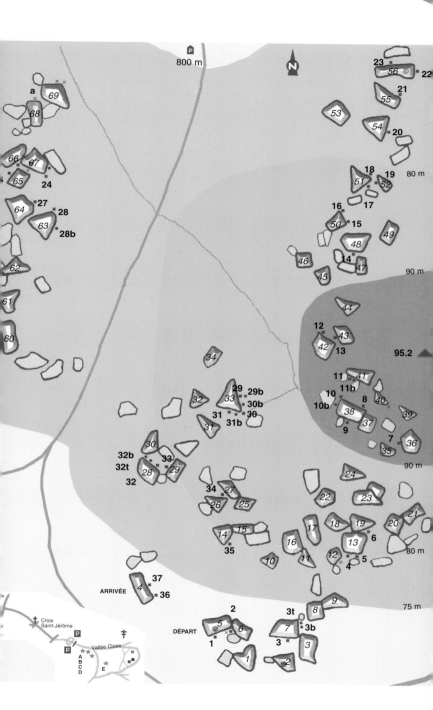

Rocher des Potêts

Cet endroit est un peu éclipsé par la proximité du très populaire 95.2. C'est la raison pour laquelle il est tout à fait tranquille et permet notamment aux débutants de faire leurs premières armes en toute quiétude. C'est un site d'initiation idéal par la faible hauteur des blocs et la diversité des mouvements. Au détour d'un rocher, on pourra admirer les vestiges d'un lointain passé sous la forme de gravures rupestres.

Rocher des Potêts

circuit jaune
circuit orange

CIRCUIT JAUNE	voie	cotation	nom		voie	cotation	nom		voie	cotation	nom
	0	2b	Départ		15	2a			30	1c	
	1	2b	Le colimaçon		16	2b			31	2b	La piscine
	2	2b	L'escargot		17	2a			32	3a	L'interminable
	3	2a			18	2b			33	2b	
	4	2b			19	2c	Le dièdre caché		34	2c	La Yosemite
	5	2c	Le cube		20	2a	Le passage cahotique		35	2a	
	6	2a	La politesse		21	2b	Le jardin botanique		36	2c	
	7	3a	L'impolitesse		22	2c	La JCB		37	2c	La réflexion
	8	2b			23	2a	La GB		38	3a	
	9	2a			24	2a	La Vallot		39	2a	
	10	2a	Paul Valéry		25	2a	L'adhérence		40	2a	
	11	2c	Le TCF		26	2b			41	1c	
	12	2c			27	2c			42	2c	Souvenir
	13	2b	L'oublié		28	3c	La droite				
	14	2b			29	2a					

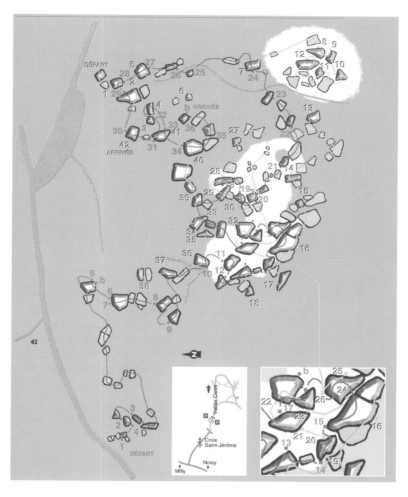

CIRCUIT ORANGE	voie	cotation	voie	cotation	voie	cotation	voie	cotation
	Départ	2b	9	2c	20	4b	31	2b
	1	2c	10	3b	21	2c	32	2c
	2	2b	11	3c/5b	22	2c	33	3b
	3	1c	12	4a	23	1c	34	2c
	4	3b	13	3a	24	2b	35	3b
	5	3b	14	2c	25	3c	36	4a
	5b	3b	15	4b	26	2b	Le grand K	
	6	4a	16	2b	27	3a	36b	4a
	7	3c	17	4a	28	2c		
	8	4b	18	3b	29	2a		
	La casquette		19	2c	30	3b		

Les Gros Sablons

CIRCUITS

Orange AD+ (n°1) ⬤

Orange AD (n°2) ❑

Bleu D+ (n°4) ❑

Noir ED- (n°3) ⬤

Un endroit splendide au cœur même de la forêt des Trois Pignons. On décide de s'y rendre comme on part pour une course en montagne ; avec un sentiment de délicieuse incertitude. Chacun sait que ces rochers immenses requièrent une grande maîtrise et un bon mental ; ils suscitent souvent quelques crispations caractéristiques au creux des reins sitôt qu'on atteint les rétablissements finals. On se rend ici un peu comme en pèlerinage et plus qu'ailleurs dans la forêt, on pousse la porte d'une autre dimension. Pas ou peu d'extrême difficulté ; mais une grande majorité de passages où l'on joue entre ciel et terre loin de tout et de tous. Certains blocs d'anthologie telle *La fissure de la Liberté* vaudraient à eux seuls le déplacement. Liberté justement ressentie en ces lieux.

Vers la lumière.

Les Gros Sablons
circuit orange

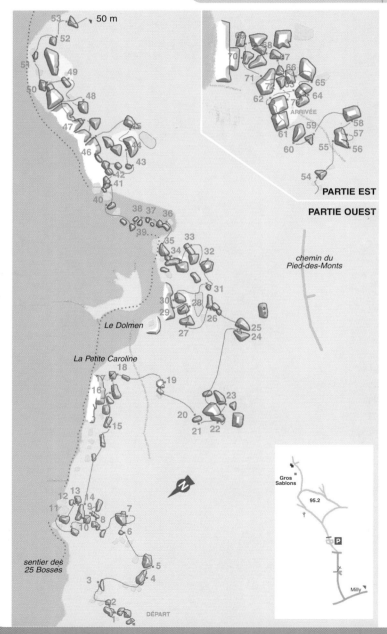

50 m

PARTIE EST

PARTIE OUEST

chemin du
Pied-des-Monts

Le Dolmen

La Petite Caroline

sentier des
25 Bosses

DÉPART

ARRIVÉE

Gros
Sablons

95.2

P

Milly

Hommage à Hans Dülfer.

Encore un circuit de la fin des années cinquante qui met en valeur la notion de test de forme pour grimpeur alpiniste. Il serpente tout au long de la platière des Gros Sablons avec parfois un « gaz » (ambiance) assez extraordinaire. Il permet aussi de jeter un coup d'œil sur quelques passages particulièrement impressionnants du circuit noir et d'apprécier, en fin de journée, un coucher de soleil magnifique sur les Trois Pignons.

CIRCUIT ORANGE

voie	cotation	nom
1	4a	*Variante 4b*
2	3c	*Variante 3b*
3	3c	
4	3c	
5	4b	*Variante 2b*
6	3c	
7	3b	
8	3c	
9	2c	*Variante 3c*
10	3c	*Variantes 2c et 3a*
11	4a	
12	3b	
13	3a	
14	3c	
15	3c	*Variante 3c*
16	2c	*Variantes 3a et 4a*
17	2c	La petite Caroline
18	2c	La petite Caroline *Descente*
19	3a	
20	2b	
21	3a	
22	3c	*Variante 4a*
23	3c	
24	3c	*Variante 3c*
25	3c	
26	3a	
27	2c	
28	4a	
29	3c	
30	4a	La petite piscine *Variante 3c*
31	4a	Le surplomb de la vipère
32	3c	
33	2c	La tour de Pise
34	3a	
35	3a	
36	4a	La main haute *Variante 3b*

voie	cotation	nom
37	2c	*Variante 2c*
38	2c	
39	2c	
40	3b	
41	3c	*Variante 2c*
42	3c	
43	3b	
44	3a	La balade
45	3a	
46	3a	
47	3c	*Variante 3c*
48	3a	*Variante 3c*
49	2c	La salle à manger
50	3a	*Variante 3c*
51	2b	
52	3a	
53	3c	
54	4a	Le fer de lance
55	2c	
56	3b	
57	3c	*Variante 3c*
58	3c	
59	3c	
60	4a	*Variante 3c*
61	2c	*Variante 3c*
62	4b	
63	3a	*Variante 3c*
64	4b	Le coup de sabre
65	3b	
66	3b	*Variante 3c*
67	3b	
68	2c	*Variante 3c*
69	3a	*Variante 3c*
70	3a	*Variante 3c*
71	3c	*Variante 3c*
72	3b	
73	3a	Les trous du gruyère

Lumière d'hiver aux Gros Sablons.

Les Gros Sablons
circuit noir et hors circuit

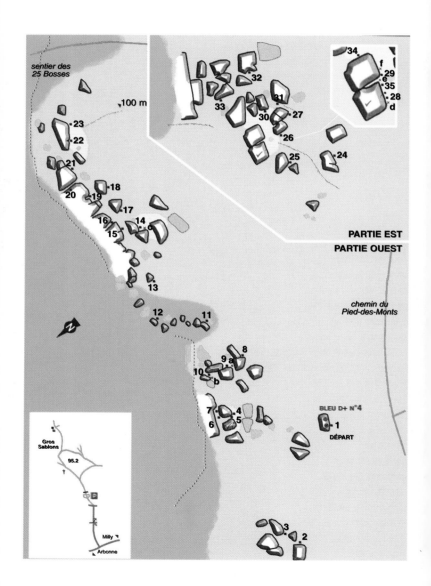

AUTOUR DE NOISY - CROIX...

voie	cotation	nom
1	6b	La popo
2	5c	La mandarine
3	5b	La râpeuse
4	5c	La piscine
5	6a	L'expolivet
6	4c	La toile cirée
7	5b	L'oubliée
8	4c	La tête
9	5b	Les jambes
10	5b	La colique
11	5c	La main basse
12	5c	La brosse à dents
13	5b	L'iguane
14	5c	Le mobile
15	5c	L'anti-Lerch
16	5c	La magnésie
17	5c	Le croque-monsieur
18	7a	La didi
19	5b	La fusée
20	4c	Le treuil
21	5c	Le bivouac
22	6a	L'Everest
23	6b	Le suppositoire
24	6a	La patinoire
25	5c	Le hachoir
26	5b	La Bérézina
27	4c	La possible
28	5c	L'escalier
29	5b	L'angle gauche
30	5b	Les chauves-souris
31	5b	Les parallèles
32	5a	
33	5b	L'ordure
34	6b	Bande première
35	6b	La pipicaca
35b	6b+	La fissure de la Liberté
a	7a	L'œil du cyclone
b	7b	Dix sur dix
c	7a	Casus Belli
d	7a	La rampe
e	7a	L'arête

CIRCUIT NOIR ET HORS CIRCUIT

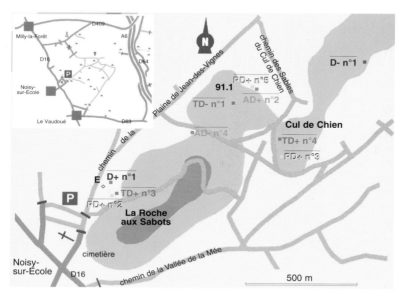

Autour de Noisy-sur-Ecole.

Le surplomb du tiroir.

La Roche aux Sabots

CIRCUITS

Blanc enfants	❏
Jaune PD+	⬤ (gris)
Bleu D	⬤
Rouge TD+	⬤
Rouge et blanc ED	◯

(voies balisées mais non numérotées)

Hors site ★

On a souvent coutume d'appeler ce site le Bas Cuvier des Trois Pignons tant les passages sont nombreux et concentrés dans un périmètre restreint. La proximité du parking, la foule, parfois impressionnante, accentuent encore cette comparaison. Hors de ces considérations, le style d'escalade y est totalement différent. Priorité ici à l'athlétique, les circuits offrent dans ce registre et à quelque niveau que ce soit un large éventail de possibilités, fléchées ou hors piste.

Tous les circuits sont intéressants et forment de belles séquences qui permettent de progresser, en particulier dans les niveaux TD et D. Le circuit D est un des plus beaux circuits bleus de la forêt. Deux voies de haute difficulté sont signalées sur la carte d'accès, le *Dernier angle* figure parmi les passages d'arête remarquables.

C'est l'un des sites les plus populaires, on peut à loisir y grimper à l'ombre des grands arbres dans la chaleur de l'été. Ces mêmes grands pins rendent l'escalade problématique après une pluie, l'humidité y est tenace.

LE SURPLOMB DU TIROIR

Ce bloc est devenu très populaire depuis qu'un départ couché sous le toit, ouvert au début des années quatre-vingts, a permis de développer de nombreux jeux dont nous vous proposons les plus originaux.

Jeux de mains
1 *L'angle Ghersen* : 6b+
2 *Rien de bon* : 6a+ (passage surnommé aussi *Le tiroir* à cause de la préhension de la prise clé)
4 *Jete-toit* : 6c
b *Sphincter* : 7a (départ sous le surplomb)

b3 ou b4 *Sphincters toniques* : 7a+
a 4 *L'oblique* : 7a
5 en sortant par le 24 rouge : 6c+ traversée
5 en sortant par 2 : 6b traversée

Des enchaînements superbes
• Combiner le départ de 5 puis 1 ; redescendre 2 pour sortir dans 4 : 7b traversée
• Départ b, traverser et remonter 1°, redescendre 2, remonter 3 et traverser pour rejoindre 5, puis sortir par 4 : 7c traversée

La Roche aux Sabots

circuit bleu

circuit jaune

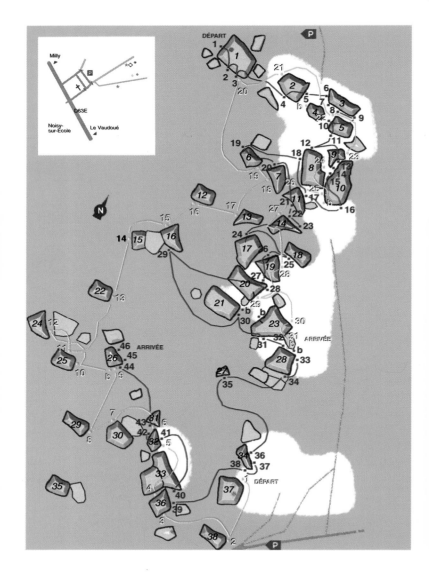

Il est difficile de trouver suffisamment de qualificatifs pour traduire tout l'intérêt de ce parcours, tracé, comme beaucoup d'autres ici, par la section FSGT de Sainte-Geneviève-des-Bois. Incontournable est sans doute celui qui sied le mieux. Le débutant (confirmé) y trouvera du plaisir et l'habitué aimera y répéter des gammes que le temps n'a pas réussi à démoder.

CIRCUIT BLEU

voie	bloc	cotation
1	1	4b
2	1	4b
3	1	4b
4	2	4b
5	2	4a
6	3	4c
7	3	4a
8	3	3b
9	3	4b
10	5	3c
11	5	3b
12	8	5a
13	10	3b
14	10	4a
15	10	4a
16	10	4c
17	11	5b
18	8	4b
19	6	4b
20	7	4a
21	11	4a
22	14	4a
23	14	5a
24	17	4c
25	18	3c
26	19	4c
27	20	4c
28	20	3c
29	16	5a
30	21	3b
30b	21	5a
31	23	3b
31b	23	4b
32	28	4b
33	28	4b
33b	28	4b
34	28	4a
35	27	3c
36	34	4b
37	34	4a
38	34	3c
39	35	3c
40	33	4c
41	32	3c
42	32	4a
43	31	4a
44	26	4a
45	26	4c
46	26	4b

CIRCUIT JAUNE

voie	bloc	cotation
1	37	2c
2	38	3a
3	36	2b
4	33	1c
5	32	3a
6	31	2c
7	30	3b
8	29	2c
9	26	3b
9b	26	3b
10	25	1c
11	24	2a
12	24	3a
13	22	2c
14	15	2c
15	16	3b
16	12	2b
17	13	2b
18	7	1c
19	6	2c
20	1	2c
21	2	2c
21b	4	3a
22	5	2c
23	9	2c
24	8	3a
25	10	3b
26	11	3a
27	14	2b
28	19	2b
29	20	2a
30	23	3b
31	28	2b
31b	28	3a

*Plus douce
sera la chute.*

La Roche aux Sabots

circuit rouge

circuit rouge et blanc

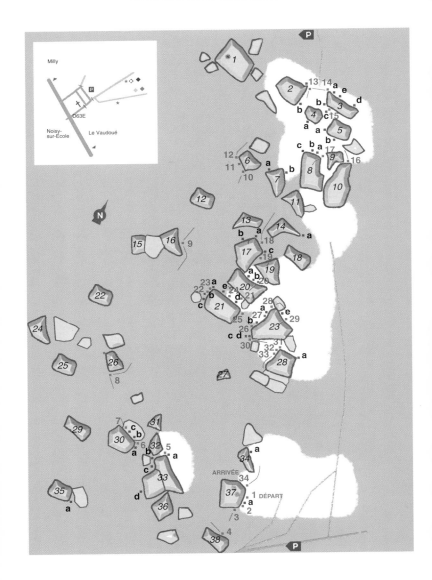

CIRCUIT ROUGE ET BLANC

bloc	voie	cotation	nom
			carrés noirs sur la carte, voies balisées mais non numérotées
2	a	7a+	C'est assis, mais c'est tassé
2	b	7c	Le poil de la bête *Traversée basse D>G*
3	a	6b	
3	b	7a	Lime à ongles
3	c	7b	La bas-bas cool *Traversée basse G>D*
3	d	7a	Prima *Traversée G>D - sortie 14 rouge*
3	e	6b	
4	a	6b	*Traversée D>G*
5	a	6b	Silence, on tourne *Traversée G>D*
5	b	7b	Lucifer
7	a	6c	Anglomaniaque *Départ sur n°20 bleu*
7	b	7a	Jeux de toit *Variante 7b*
8	a	8a	Déviation
8	b	6b	Le bond de l'hippopotame
8	c	6c	Le flipeur
14	a	6b	Chapeau chinois
17	a	7a	Angle
17	b	6b	L'inversée satanique *Variante directe 6c+*
17	c	6b+	Angle
20	a	7a	Amanite dalloïde
20	b	6c	Bazooka jo
21	a	6b+	Angle Ghersen
21	b	7a+	Sphincters toniques *Jeux de mains*

bloc	voie	cotation	nom
21	c	7c	Pets O2 max *Combinaisons des voies de la face*
21	d	7a+	A l'impossible
21	e	7b	Ongle jo
23	a	7a	Jet set
23	b	7b	Jack's finger
23	c	7a	Les yeux
23	d	7b	*Traversée D>G, sortie par le 28 rouge, 7c*
23	e	7b+	Le parallèlogramme
28	a	6c+	Rumsteak en folie
30	a	7a	Achille Talon
30	b	7b+	100 % pulpe
30	c	7a	Jus d'orange
33	a	7c	Sale gosse *8a départ assis*
33	b	7a	Gravillon *Angle surplombant*
33	c	7a	Graviton
33	d	7b+	Vieille canaille *Traversée G>D*
34	a	6c+	Surplomb des frelons *Traversée D>G*
35	a	7a+	Partie de jambes en l'air *Traversée D>G*
37	a	7a	Le tourniquet *Tour de bloc*

HORS SITE

		cotation	nom
	A	7c	Miss world *Traversée G>D*
	B	7c	Le dernier angle *Arête*

CIRCUIT ROUGE

voie	bloc	cotation	nom
1	37	6a	Le saute-montagnes
2	37	6a	Le coup de genoux
3	37	6a	Le surplomb à coulisse
4	38	5b	La dalle de cristal
5	33	5b	Le passage à tabac
6	30	5c	Le porte à faux
7	30	4c	Le mur Badaboum
8	26	5b	Beauf en daube
9	16	5b	Little Crack
10	6	5c	Danger majeur
11	6	5c	L'arrache-moyeu
12	6	5b	L'angle à Gilles
13	2	5b	Red one
14	3	6b	L'angle de la pierre ôtée
15	3	6a+	Coup de patte
16	10	5b	Le mode d'emploi
17	8	5a	Vol au vent

voie	bloc	cotation	nom
18	17	6a+	Le mur à Robert
19	17	6a+	les joyeuses de Noël
20	20	5b	Passage à l'acte
21	20	5b	Mine de rien
22	21	6a+	Le tiroir/Rien de bon
23	21	6a	Bon à rien
24	21	6a	Les grattons belliqueux
25	21	6b+	L'angle à Jean-Luc
26	23	5a	Le goût du jour
27	23	5c	Crosse en l'air
28	23	6a+	Service compris
29	23	6b	Le mur à Michaud
30	23	5b	La barquette de beurre
31	28	5b	Servir frais
32	28	5c	Le pain total
33	28	5c	Le théorème de Pascal
34	37	6a	L'auriculaire - Toit aux frelons

Le Cul de Chien

CIRCUITS

Jaune PD	❑
Bleu D	●
Rouge TD+	❑

Un mystère de plus dans la forêt ; comment cette tête de chien, plus communément appelée le Bilboquet, a-t-elle émergé au milieu de nulle part, pour le régal de nos yeux ? La légende voudrait qu'un monstre du passé se soit échoué dans cette vaste plaine et ait été dévoré par des prédateurs, laissant sur tout le massif ses restes éparpillés aujourd'hui fossilisés. C'est l'un des endroits les plus définitivement magiques de la forêt et l'on pourrait presque se satisfaire de sa contemplation. Mais le grimpeur qui sommeille en nous a besoin de son content de pierres et il peut trouver ici de quoi se régaler.

Le joker est ce fameux Toit du Cul de Chien qui offre, à la frontière du septième degré des gestes qui emmènent au septième ciel. Plus loin un Autre toit, un autre monde aussi, celui du top niveau. Vous les retrouverez tous deux détaillés dans les pages qui suivent.

Lumière irréelle sur le bloc le plus célèbre de la forêt.

Toi, toi mon toit

A la base une envie folle de jouer dans un passage qui alors était considéré comme l'un des plus représentatifs de l'époque en terme de difficulté et d'engagement. Ce fameux toit propose trois inclinaisons différentes : l'attaque en elle-même : verticale ; le passage clé : un plafond horizontal ; et la sortie : un rétablissement encore vertical. Indiscutablement, il devait être possible de se trouver à trois en même temps sur ce bloc. Ce qui fut dit fut fait et ce mythique passage devint pour quelques minutes d'anthologie le théâtre d'un fort curieux manège qui a du profondément marquer les nombreux grimpeurs qui ne manquaient pas d'attendre chaque dimanche une réalisation de cet incroyable passage. Ce jour-là, il purent l'admirer tout leur content. Imaginez cinq grimpeurs se succédant. Dès que l'un quittait une des trois zones d'escalade du passage, un autre prenait sa place et le manège a bien duré cinq minutes pour quelques vingt réalisations successives. Le plus dur étant, une fois arrivé au sommet de descendre assez vite pour être prêt à repartir illico.

Le Cul de Chien

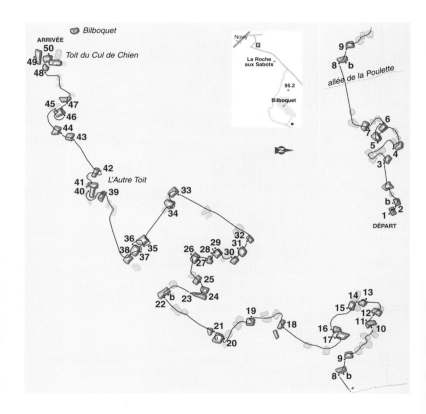

Bilboquet

ARRIVÉE

Toit du Cul de Chien

L'Autre Toit

Noisy

La Roche
aux Sabots

95.2

Bilboquet

allée de la Poulette

DÉPART

Thierry Plot dans Eclipse.

CIRCUIT BLEU

voie	cotation	voie	cotation
1	3b	25	3c
2	2b	26	4a
2b	3c	27	3c
3	4a	28	3b
4	3c	29	4c
5	4a	30	3c
6	4b	31	3c
7	4a	32	3c
8	3b	33	4c
8b	5a	34	4c
9	3c	35	4b
10	4a	36	4b
11	3c	37	5a
12	3c	38	4b
13	4a	39	3a
14	4a	40	3c
15	3c	41	3b
16	4a	42	4c
17	4b	43	4b
18	4c	44	3c
19	3b	45	4a
20	4a	46	4a
21	4a	47	4a
22	4b	48	4b
22b	4a	49	3c
23	3c	50	4b
24	4a		

Le fameux toit du Cul de Chien, engagé et inoubliable.

L'AUTRE TOIT

La petite histoire
Une dizaine d'années sépare l'ouverture du premier passage de « L'Autre toit », pour lequel une prise avait été taillée, et la réalisation du même problème sans cette prise taillée et à difficulté identique. Une preuve de plus, s'il en fallait, de l'inutilité de la taille de prise. Patience seulement...
Depuis lors, de très nombreux passages et enchaînements ont été ouverts dans cet exceptionnel surplomb, l'un des plus connus de Fontainebleau.

Les passages
1 *Arabesque :* 7b+ (le passage originel)
2 *La nouvelle vague :* 7b+ (le même problème sans utiliser la prise taillée)
3 *Eclipse :* 7c
4 *The Maxx :* 8a
5 *Jack in the box :* 8a+
6 *L'œil de la Sybille :* 7c+
a1 *L'intégrale :* 8a (départ du fond sortie par *Arabesque*)
a2 *L'âme de fond :* 8a (départ du fond sortie par *Nouvelle vague*)
a3 *Totale éclipse :* 8a+ (départ au fond sortie par *Eclipse*)

ECLIPSE

Situation :
Cul de Chien, l'Autre toit.
Difficulté : 7c.
Caractéristiques :
trois mouvements ; en deux mots :
sensitif et relâchement.
Grimpeur :
Christophe Laumône.

Ce passage n'a été ouvert que très récemment par Stéphan Denys, éclipsé qu'il était justement par l'escalade horizontale spécifique à l'Autre toit du Cul de Chien. Pourtant, c'est désormais un grand classique dont la méthode tout en relâchement est proposée par Christophe Laumône.

Méthode

Main gauche sur une barrette de grattons, le pied gauche bien crocheté dans le gros trou, le pied droit vient doucement s'installer sur la grosse rampe pour permettre de trouver l'équilibre et de saisir un plat main droite le plus en pincette possible pour valoriser la préhension.

La main gauche va ensuite rejoindre la fissure pendant que le pied gauche s'installe en crochet de spatule pour permettre au pied droit de quitter le trou.

Les deux pieds quittent le rocher, les deux mains en étau permettent ce mouvement spectaculaire mais assez facile.

Le pied gauche va se poser sur le bord gauche de la fissure en carre interne.

Le pied droit en balancier, l'essentiel de l'énergie se place sur la main gauche et le mouvement consiste à se dresser droit sur le pied gauche en pensant davantage à l'élévation du bassin qu'à la prise d'arrivée

Une fois ce mouvement bien amorcé, la fin s'enchaîne d'elle-même, sans réel effort, car le gratton de réception est très large et la main droite retombe dessus naturellement. On appelle ça un jeté sensitif.

91.1

A mi-chemin du parking et des sables du Cul de Chien, le 91.1 offre une heureuse alternative aux amateurs de dalles en tout genre. Un site paisible et abondamment fourni de passages très intéressants de tout niveau qui n'a de barbare que sa dénomination, 91.1 mètres d'altitude, tranchant singulièrement avec la beauté des lieux. Sur chaque circuit, on retrouvera les mêmes exigences : équilibre, calme et précision, sur un grès très coloré dont l'adhérence est parfois spéciale à appréhender. Et toujours ce désert de sable qui n'en finit pas de régaler les sens.

Sur les réglettes fuyantes du circuit rouge.

91.1

circuit orange

CIRCUIT ORANGE

voie	bloc	cotation
1	58	3a
1b	58	3c
2	57	3c
3	56	3c
4	55	4a
5	54	3c
6	53	3c
6b	53	3c
6t	53	4a
7	52	3c
8	51	3b
9	51	3b
10	50	3b
11	47	4a
12	48	4a
13	45	3c
14	44	3a
15	43	4a
16	42	2c
17	40	2c
18	8	4c
19	7	3a
20	6	3b
21	6	3b
22	30	3b
23	33	4a
24	31	3c
25	32	4b
26	38	3c
27	35	4a
28	36	3a
29	37	3c
30	26	3c
31	25	3b
32	23	3a
33	22	2c
34	19	3b
35	16	3b
36	17	2b
37	21	3a
38	14	3c
39	13	3a
40	12	3b
41	14	3b
42	3	3b
43	3	3b
44	5	3b
45	4	3c
46	4	4b
47	1	4b

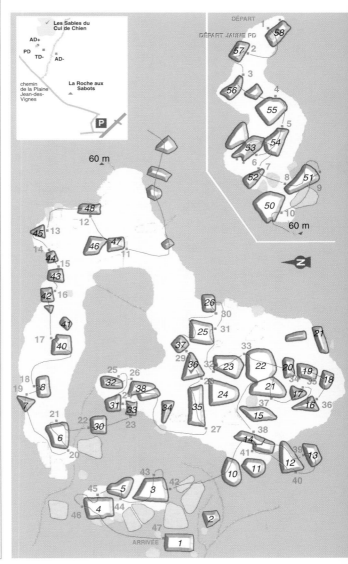

91.1

circuit rouge

hors circuit

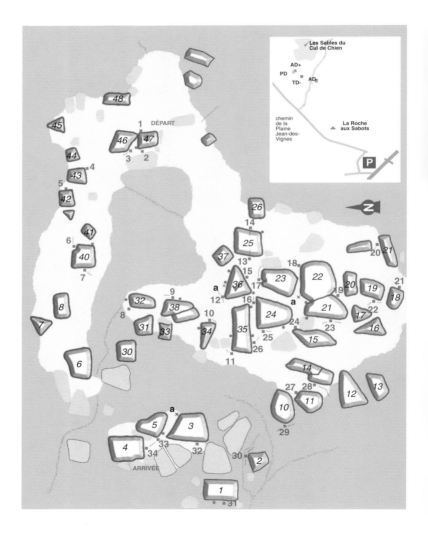

Grimper sur des miracles de la nature en est assurément un.

CIRCUIT ROUGE ET HORS CIRCUIT

voie	bloc	cotation	nom	voie	bloc	cotation	nom
1	47	4c		17	23	4c	
2	47	5b		18	22	5a	
2b	47	6b		19	21	5a	
3	46	3c		20	21	4b	
4	43	4a		21	18	4a	
5	42	4b		22	19	4c	
6	40	4b		23	21	5b	
6b	40	5c		23b	21	5c	
7	40	5b		23t	21	6a	
8	32	4c		24	15	4c	
8b	32	6a	Le Flipper	25	24	4c	
9	38	5a		25b	24	5a	
9b	38	5c		26	35	4c	
10	34	4b		26b	35	6a	*Traversée G<>D*
10b	34	5c		27	11	4c	
11	35	4b		28	14	4b	
11b	35	4b		29	10	5b	
12	36	5c		30	2	5b	
12b	36	5c	L'arc de cercle	31	1	4b	
12t	36	6a	Le Grand dièdre	31b	1	5a	
13	25	4c		32	3	5a	
14	25	6a	La Goulotte	33	5	4c	
14b	25	5a		33b	5	6b	
15	36	5b		34	4	5c	
15b	36	5a		a	36	7a	Les pieds nickelés
16	24	5b		a	3	6c	*Traversée G<>D*
16b	35	5c		a	23	7a	Le Sur Plomb

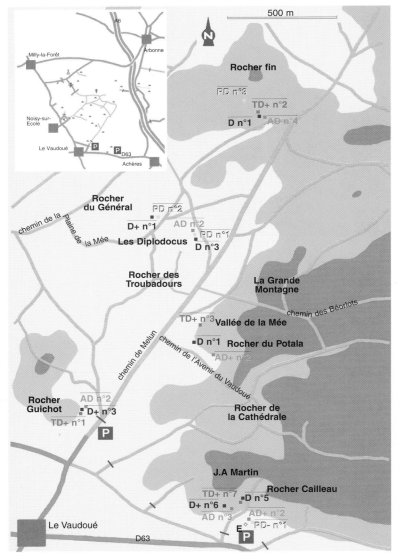

500 m

N

Rocher fin

PD n°3

TD+ n°2

D n°1   AD n°4

Milly-la-Forêt

Arbonne

A6

Noisy-sur-Ecole

Le Vaudoué

Achères

D63

Rocher du Général

PD n°2

D+ n°1   AD n°2

Les Diplodocus   PD n°1

D n°3

chemin de la Plaine de la Mée

Rocher des Troubadours

La Grande Montagne

chemin des Béorlots

TD+ n°3   **Vallée de la Mée**

D n°1   **Rocher du Potala**

AD+ n°2

chemin de Melun

chemin de l'Avenir du Vaudoué

Rocher Guichot

AD n°2

D+ n°3

TD+ n°1

P

Rocher de la Cathédrale

J.A Martin

TD+ n°7   **Rocher Cailleau**

D n°5

D+ n°6

AD n°3   AD+ n°2

E   PD- n°1

P

Le Vaudoué

D63

Autour du Vaudoué.

DOUE

Rocher Guichot

CIRCUITS

Jaune AD-
Bleu D
Rouge TD+

Lorsqu'on fait référence au Rocher Guichot, le premier mot qui vient à l'esprit est proximité. Les circuits sont en effet situés à une dizaine de mètres du point de parking, ce qui a beaucoup contribué à leur succès. Une fois parcourus quelques-uns des nombreux passages proposés, on prend conscience de l'extrême spécificité de l'endroit. Les grattons, célébrissimes à Bleau, sont ici particulièrement à l'honneur. Heureusement, la faible hauteur des blocs n'ajoute pas une dimension psychologique à une douleur latente qui assaille le bout des doigts si l'on s'attarde trop sur certains problèmes.

La tour Denecourt, hommage à celui qui traça les premiers sentiers.

Les habits de la forêt.

Rocher Guichot

circuit jaune

circuit bleu

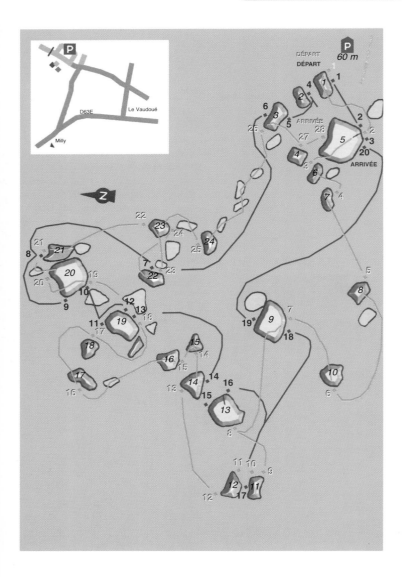

CIRCUIT BLEU

voie	bloc	cotation
1	1	4a
2	5	4c
3	5	4b
4	2	4a
5	3	4c
6	3	5a
7	22	4a
8	21	4c
9	20	5a
10	20	4a
11	19	4b
12	19	5b
13	19	5a
14	14	4c
15	13	4c
16	13	4c
17	11	5a
18	9	5b
19	9	4c
20	5	5a

CIRCUIT JAUNE

voie	bloc	cotation
1	1	2c
2	5	2b
3	6	2b
4	7	2b
5	8	2a
6	10	3a
7	9	3a
8	13	2a
9	11	3a
10	11	2b
11	12	2c
12	12	2b
13	14	3a
14	15	3c
15	16	2b
16	17	2c
17	18	2b
18	19	3c
19	20	2b
20	20	2b
21	21	2c
22	23	2a
23	22	3c
24	23	3b
25	24	2a
26	3	3a
27	4	2b
28	5	3b

Rocher Guichot

circuit rouge

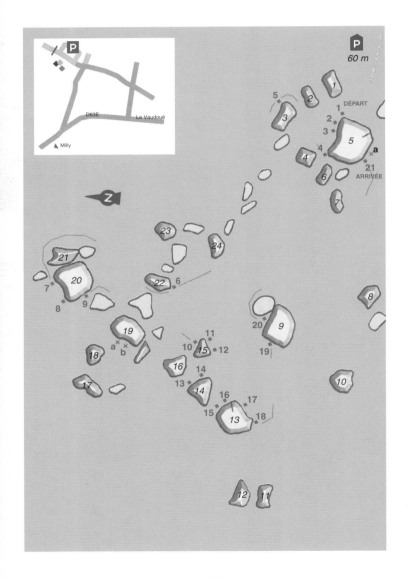

CIRCUIT ROUGE ET HORS CIRCUIT

voie	bloc	cotation	nom
1	5	5b	
2	5	6a	
3	5	6b	
4	5	6b	
5	3	6b	
6	22	6a	
7	20	6b	
8	20	5c	
9	20	5b	
10	15	5c	
11	15	6a	
12	15	5b	
13	14	5c	
14	14	5b	
15	13	6b	
16	13	6b	
17	13	6c	
18	13	5b	
19	9	6a	
20	9	6b	
21	5	6a	
a	5	8a	*Traversée D>G*
a	19	7c	Mayonnaise de passion *Traversée D>G*
b	19	7c+	L'univers des arts *Traversée G>D, sortie par le surplomb*

De pourpre ou de vert...

... les couleurs de la forêt.

Le Diplodocus

CIRCUITS

Jaune PD
Orange AD
Bleu D

Ce site au nom fort évocateur stimulerait l'imagination des plus blasés. Comment un diplodocus s'est-il au fil du temps fossilisé permettant ainsi aujourd'hui à tout un chacun de jouer sur son dos. Encore un mystère que nul n'est prêt d'élucider. Au même titre que l'on n'expliquera jamais la présence d'aérolithes (rochers en équilibre instable sur un socle) posés çà et là dans la forêt. Par quelle main ? En quels temps ?
De part et d'autre de ce géant de pierre gît sa descendance et c'est un régal d'épouser les formes incroyables que peut prendre le grès en ces lieux. Malheureusement bien patiné par des générations de grimpeurs. Le rocher du Diplodocus est haut et engagé, il y a un point d'assurage au sommet.

Neige sur les modestes sommets de Fontainebleau (Larchant).

Le Diplodocus

circuit jaune

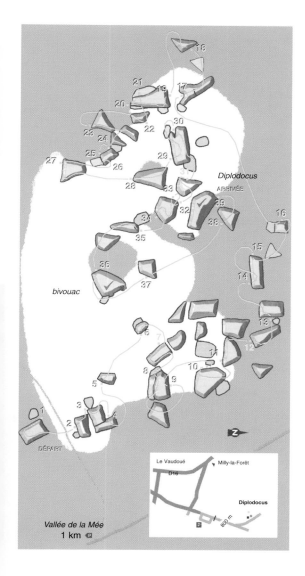

Diplodocus
ARRIVÉE

bivouac

DÉPART

Le Vaudoué — Milly-la-Forêt
D16

Diplodocus

P — 800 m

Vallée de la Mée
1 km

CIRCUIT JAUNE	voie	cotation
	1	3b
	2	2b
	3	2b
	4	1b
	5	2b
	6	2c
	7	3a
	8	2b
	9	2b
	10	2b
	11	2b
	12	3b
	13	3a
	14	2c
	15	2c
	16	2b
	17	2c
	18	1c
	19	2c
	20	3a
	21	2c
	22	2c
	23	3a
	24	2b
	25	2b
	26	2b
	27	2b
	28	2b
	29	2c
	30	3a
	31	2c
	32	2c
	33	2c
	34	3a
	35	3a
	36	2c
	37	2b
	38	2b
	39	3b

Sur les monstres du Diplodocus.

Le Diplodocus

circuit orange

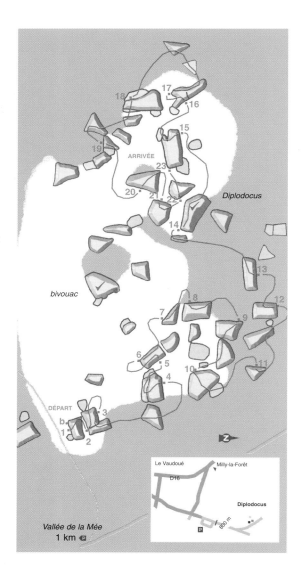

CIRCUIT ORANGE

voie	cotation	nom
1	3a	La lulu
1b	2c	Le bout du Simon
2	3b	Le premier jeu
3	3c	L'angle désaxé
4	2c	La crèmerie
5	4a	L'épicerie
6	2c	La culottée
7	3c	La S.P.A
8	3b	Le fusible
9	3a	Fer à cheval
10	3a	Le fou
11	2b	Micro sillon
12	3b	Le marteau
13	3c	Le coryza fou
14	3c	Pilier rouge
15	3a	La Onze traction
16	3a	Le nain jaune
17	3b	La ricorée
18	2c	Surplomb du croissant
19	3a	Le brelan d'as
20	2c	La couleuvre
21	3c	Le 4ème réflexe
22	3a	Fissure de la Pres'toi
23	4b	La torniol

Quand le cinquième degré se conjugue à l'exposition (La Padôle).

Le Diplodocus

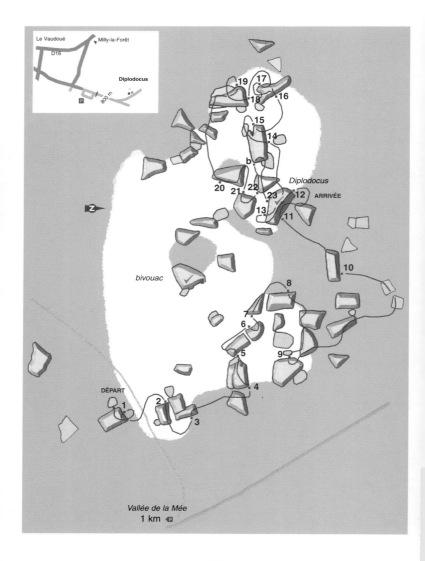

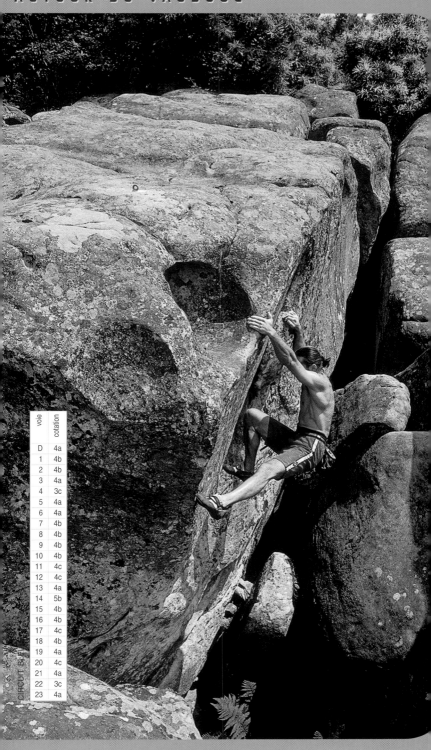

voie	cotation
D	4a
1	4b
2	4b
3	4a
4	3c
5	4a
6	4a
7	4b
8	4b
9	4b
10	4b
11	4c
12	4c
13	4a
14	5b
15	4b
16	4b
17	4c
18	4b
19	4a
20	4c
21	4a
22	3c
23	4a

CIRCUIT BLEU

Vallée de la Mée - Potala

CIRCUITS

Orange AD+	●
Bleu D	●
Rouge TD+	●
Hors circuit	✗

*Page précédente :
chuter est un des
condiments parfois
relevé du bloc.*

*Ci-dessous :
Jacky Godoffe dans
Le surplomb de la
Vallée de la Mée.*

On peut voir, en se rendant au Rocher du Potala, les vestiges d'anciennes habitations où tout grimpeur aurait bien aimé vivre pour être au cœur même de son terrain de jeu. Mais les rochers se découvrent un peu plus loin encore dans un écrin ocre qui déclenche irrésistiblement l'envie de grimper. Une hauteur raisonnable, un toucher insolite, tout contribue ici à user de technique et de finesse plus que de force. On marche parfois un peu à la recherche de certains passages mais c'est toujours avec l'excitation de la prochaine découverte. Un surplomb a rendu le site célèbre puisqu'il a représenté durant des années un véritable mythe : celui du huitième degré. Si le mythe a vécu, il reste un passage extrême que certains viennent essayer des quatre coins du monde.

Vallée de la Mée - Potala

circuit orange

CIRCUIT ORANGE

voie	bloc	cotation	nom
1	34	3b	Le Klem
2	33	4a	Le rouleau californien
3	31	4a	
4	32	3c	L'équilibriste
5	33	4a	Ventre bleu
6	33	3b	La traversée des confettis
7	35	2c	L'écartelée
8	35	2c	La vire à bicyclette
9	35	3b	L'inessorable reptation
10	36	3c	Le baquet de Pierre
11	37	4b	Le crochet
11b	37	2c	
12	40	2a	Le pas de la mule
13	41	3c	Le feuillet décollé
14	44	4a	Le pousse pied
15	45	4b	La traversée du poussin
16	48	3a	L'accroupie
16b	49	2c	
17	52	3b	Les petits rognons
18	52	4b	
19	53	2c	
20	54	3a	La patinoire
21	54	3a	La cheminée de l'obèse
22	56	3c	

voie	bloc	cotation	nom
23	59	4a	La vire tournante
24	58	3b	Le Cervino
24b	58	2c	Le Cervino *(sortie gauche)*
25	55	3b	Les pattes de mouche
25b	55	3a	
26	62	2c	
27	63	3c	
28	64	3b	
29	66	3a	La grande dalle du Coutant
29b	66	4a	La petite dalle du Coutant
29t	65	2a	
30	66	2b	La traînée blanche
31	70	2b	
32	70	4b	Le mauvais angle
33	71	3b	L'allonge de l'escalier
34	71	3c	Le mauvais pas
35	72	3c	Le nouvel angle
36	74	4a	La fissure humide
36b	74	4b	
37	76	4a	La déviation
38	78	4a	Les deux baignoires
39	80	2c	La bleausarde
40	81	3b	La traversée des tortues jumelles *Variante en dalle 4c*

Premiers gestes pour sentir le rocher.

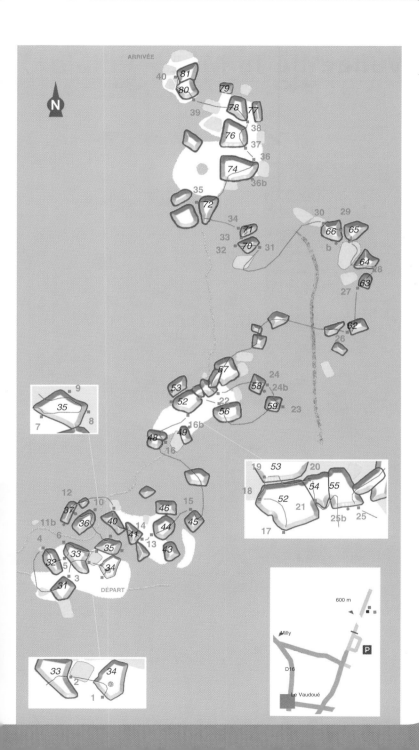

Vallée de la Mée - Potala

circuit bleu

Quand les rayons du soleil accompagnent les premiers gestes.

Tim au départ du circuit orange.

voie	bloc	cotation
0	10	3a
1	13	4a
2	12	4b
3	14	3c
4	15	3c
5	16	3c
6	18	4b
7	22	5a
7b	19	5c
8	20	5b
9	21	4a
9b	21	4b
9t	21	4c
9q	21	3a
10	22	4a
11	23	4a
12	24	4c
13	30	4a
14	31	4a
15	33	5a
15b	33	5b
16	34	3c
16b	34	5b
17	35	2c
18	41	3c
19	43	4b
20	44	4b
21	46	3b
22	47	3c
23	48	4c
24	52	4b
25	57	3c
26	60	4a
27	61	2c
28	63	4c
29	64	4b
30	66	4a
31	74	4a
32	75	4a
33	76	4a
34	77	4a
35	78	4c
36	79	3b
37	80	3b
38	81	4c

CIRCUIT BLEU

Vallée de la Mée - Potala

circuit rouge

*Dans l'arrivée du « rouge »
et ses mouvements tournants.*

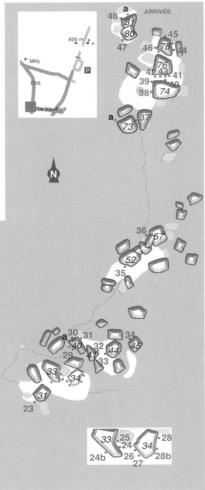

voie	bloc	cotation	nom	voie	bloc	cotation	nom
1	1	5a		26	34	5a	
2	1	5a		27	34	5a	
3	1	5b		28	34	5c	
4	1	5c		28b	34	6b+	
5	1	5b		29	40	5c	
6	2	6a		29b	40	6a	
7	2	5b		30	40	6b	
8	3	6a		31	40	5c	
9	3	5b		32	41	5c	
10	12	5c		33	44	5a	
11	12	5b	Les trois lancers	34	45	5b	Le toit du châtaignier
11b	12	6a		35	52	5c	
12	12	5c		36	57	5a	
13	13	5a		37	73	5c	
14	13	5b		38	74	5c/6b	Selon méthode
15	13	6b		39	74	5a	
15b	13	5a		40	74	5b	
16	14	5c		41	76	5c	
17	14	5c		42	76	5a	
18	15	5b		42b	76	5c	Les rasoirs
19	18	6b	La voie lactée	43	76	5b	La fissure au marbre
20	22	6a		44	78	5a	Corner
21	22	5c	La clé de pied	44	b	78	5b
22	24	5b	La contorsion	45	78	5c	Les petits pieds
23	31	5b		46	78	5b	
24	33	6a		46	b	78	6b
24b	33	6a		47	80	5b	
25	33	5b	Le mur jaune	48	81	6a	L'angle des tortues jumelles

CIRCUIT ROUGE

Vallée de la Mée - Potala
hors circuit

bloc	voie	cotation	nom
81	a1	8a+	Le surplomb
81	a2	7c	La traversée
11	a	6c+	Eclipse *Traversée G>D*
40	a	7b+	Etrange étrave
73	a	7a+	Prophétie *Traversée D>G*

HORS CIRCUIT

Rocher fin

CIRCUITS

Jaune PD	●
Orange AD	●
Bleu D	❑
Rouge TD+	●

Ce site n'a pas de fin que le nom ; l'escalade y est aussi d'une grande finesse, faite d'équilibres précaires et de placements subtils. C'est pourquoi il séduit les grimpeurs qui privilégient la technique. Mais quel que soit le niveau, les doigts et les poses de pieds seront mis à rude épreuve, l'adhérence ne lasse pas de surprendre et les grattons sont pour le moins agressifs. Les débutants apprécieront un circuit jaune court et varié (mais souvent patiné).

Bien qu'étant l'un des sites les plus éloignés du parking, il attire le week-end les amateurs de pique-nique sportif. Il y a là non seulement les rochers à grimper mais aussi un sable ocre jaune et une qualité de lumière particulière. En semaine, c'est une île déserte dans un océan de sable. Enfin sa situation à flanc de pignon, le rend grimpable très vite après la pluie.

Page précédente :
Nadia Hrina sur les
marbres du Rocher fin.

Ci-dessous :
Le cube, un 6a
d'une extrême finesse.

Rocher fin

circuit jaune

circuit rouge

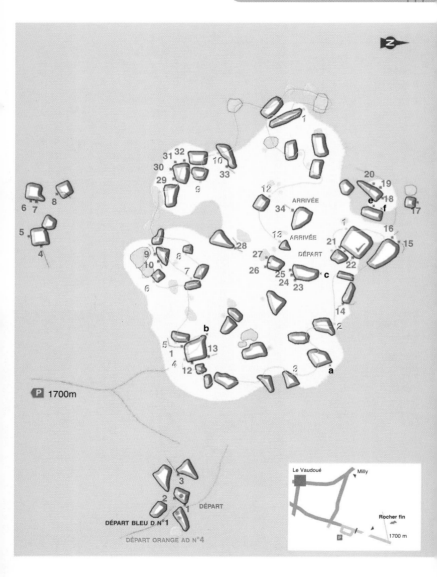

Sur l'arête du Cube.

voie	cotation	nom
CIRCUIT JAUNE		
D	2a	Départ
1	3b	Le cube
2	3b	La déversante
3	2c	Le pas à droite
4	2c	La sinueuse
5	3b	La niche
6	2b	Le chemin de ronde
7	2c	Les bossettes
8	3a	L'éperon
9	2c	Le promenoir
10	2c	La voie du trou
11	2b	L'adhérence
12	2b	La dalle marbrée
13	2c	Le menhir

CIRCUIT ROUGE ET HORS CIRCUIT

voie	cotation	nom	voie	cotation	nom
1	5b	L'angle ingrat	21	6a	La traversée à Taupé
2	6a	Ascendance	22	6a	Coup de pompe
3	5b	Choux blancs	23	4c	Dinomania
4	4c	Pastiche	24	5b	Gras double
5	5a	C.Q.F.D.	25	5a	Chien fou
6	5c	Colin-maillard	26	6a	Coup de griffe
7	5c	Grande manœuvre	27	6a	Doigt dans l'œil
8	4b	Contre vérité	28	5b	Envie et nécessité
9	5b	Nombril de Vénus	29	5b	Bras de fer
10	5c	Syracuse	30	6a	Soleil brûlé
11	5c	Sale gueule	31	5a	Système F
12	4c	Le tas de sable	32	5b	Regain
13	5c	L'art de vivre	33	5c	La Micholeg
14	5a	Tronche à noueux	34	5c	Coup de rein
15	5b	L'apostolat	a	7a	L'envol du Martinet
16	5c	Torticolis	b	7b	Mémoire d'outre tombe
17	6a	Théorème	c	7a	Intégrale *(traversée)*
18	6b	Plein pot	d	7a+	Forty-ssimo
19	5c	La belle d'Ivry	e	7b	Les Croates
20	6a	Grosse caisse	f	7b	Les Serbes

J. A Martin

CIRCUITS

Blanc enfants	❏
Jaune PD-	❏
Orange AD+	❏
Bleu ciel D	❏
Bleu D+	●
Rouge TD+	❏

Un vaste chaos qui n'est pas sans rappeler celui des Gorges d'Apremont tant il est difficile de s'y retrouver. Les circuits qui parcourent les flancs de ces multiples pignons sont relativement hétérogènes. Mais parce qu'ils permettent une escalade conviviale et technique, ils attirent le week-end de nombreux grimpeurs.

J. A Martin

circuit bleu |||

hors circuit |||

Jo Montchaussé dans L'étrave.

C e très homogène circuit témoigne de l'intérêt de la trace écrite que représentent en général les petites flèches. Tracé une première fois vers la fin des années soixante, il a été repris quelques trente ans plus tard et complété pour en faire le parcours présenté ici. Ou comment l'histoire se met en mouvements.

HORS CIRCUIT

voie	cotation	nom
a	7b+	L'étrave
b	6c	Bibi Fricotin
c	6c	Le printemps du Martin
d	7a+	Coup de cymbale

HORS SITE

voie	cotation	nom
A	7b+	Jardin secret *Traversée G>D*

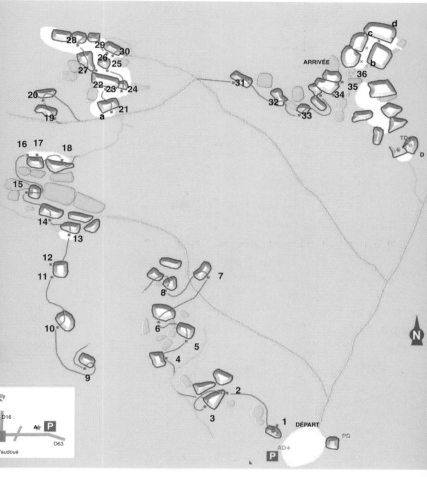

voie	cotation	nom	voie	cotation	nom	voie	cotation	nom
1	4b	Le starter	13	5a	La trapèze	25	4b	Le coup de pied
2	5a	Le pommeau	14	4b	L'opposition	26	4c	L'échappatoire
3	4a	La déchirure	15	3c	Le carré de chocolat	27	4b	L'arête dorsale
4	4a	Le mur en faïence	16	3c	Un coin de paradis	28	4c	Fissure contractuelle
5	5b	Le tour de main	17	5a	Truc et astuce	29	4c	L'ardu
6	5b	La voie du forçat	18	4c	La brasse crawlée	30	4b	Eclats de verre
7	4c	L'entrechat	19	4c	Attention fragile	31	4c	Le coup de cymbale
8	4c	L'incertitude	20	5a	La force de caractère	32	4b	La voie inquiète
9	4c	La brosse à ongles	21	4a	La fissure de l'étrave	33	4a	La poussée d'Archimède
10	4b	La jaunisse	22	5a	Dérapage contrôlé	34	4c	Le casse pied
11	4a	La dalle cirée	23	4b	La grande nouvelle	35	5b	Le jeu de paume
12	3c	Le croche-pied	24	4a	La conduite forcée	36	4c	Carrefour

CIRCUIT BLEU

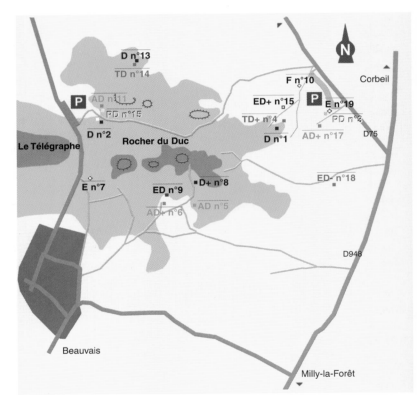

Beauvais Rocher du Duc.

Beauvais - Rocher du Duc

CIRCUITS

ROCHER DU DUC EST

Blanc enfants (n°19) ❖
Blanc facile/famille (n°10) ❑
Jaune PD (n°3) ❑
Orange AD+ (n°17) ❑
Bleu D (n°1) ●
Rouge TD+ (n°4) ●
Rouge ED- (n°18) ❑
Noir et blanc ED+ (n°7) ●

ROCHER DU DUC CENTRE

Safran AD (n°5) ❑
Orange AD+ (n°6) ❑
Bleu D+ (n°8) ❑
Noir ED (n°9) ❑

ROCHER DU DUC OUEST

Blanc enfant (n°7) ❑
Blanc F (n°16) ❑
Jaune PD (n°12) ●
Orange AD (n°11) ❑
Bleu D- (n°2) ❑
Bleu D (n°13) ❑
Rouge TD (n°14) ❑

Quelque peu éloigné du cœur de Fontainebleau, Beauvais, dans la forêt des Grands Avaux, n'en connaît pas mois un grand succès.

D'abord parce que le nombre de circuits abordables est important et qu'ils sont d'un grand intérêt, principalement le blanc pour enfants (n°19) ; probablement le plus beau de toute la forêt.

Ensuite, les blocs ne sont pas très hauts, ce qui rend l'apprentissage des passages plus aisé. Enfin, l'escalade en traversées y est particulièrement à l'honneur sur les circuits de haute difficulté. Autre spécialité : les aplats en tout genre.

Les grimpeurs semblent de plus en plus nombreux à apprécier puisque la capacité d'accueil du parking Est a triplé récemment.

Le printemps apporte avec lui un tapis de violettes, véritable régal des sens qui accompagne l'approche des rochers. L'atmosphère est sèche et agréable sur le pignon mais sous les châtaigniers, magnifiques à l'automne, l'humidité est tenace après la pluie.

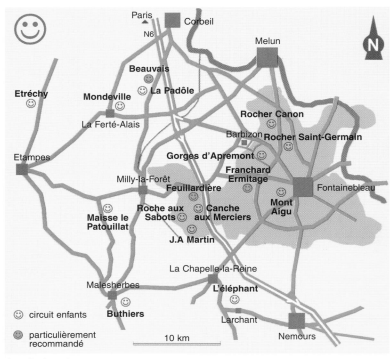

Paris
Corbeil
N6
Melun
Beauvais
☺ La Padôle
Etréchy
☺
Mondeville
☺
La Ferté-Alais
Rocher Canon
☺
Barbizon
Rocher Saint-Germain
☺
Etampes
Gorges d'Apremont ☺
Franchard
Ermitage
Milly-la-Forêt
☺
Feuillardière
☺
Fontainebleau
Roche aux ☺ Canche
Sabots ☺ aux Merciers
Mont
Aigu
☺
Maisse le
Patouillat
☺
J.A Martin
La Chapelle-la-Reine
Malesherbes
L'éléphant
☺
☺ circuit enfants
Buthiers
Larchant
☺ particulièrement
recommandé
10 km
Nemours

N

Les circuits enfants.

GRIMPER... UN JEU D'ENFANTS

Si l'on admet de prendre comme postulat qu'un enfant grimpe avant de marcher, alors l'escalade est un jeu d'enfants.

L'idée préconçue selon laquelle escalade et danger sont intimement liés a fait long feu. Au cours des deux dernières décennies, l'activité escalade s'est développée en ville, s'est organisée par l'intermédiaire d'associations et sa popularité chez les enfants et ados ne cesse d'augmenter. Les valeurs de liberté, de libre choix, d'autogestion du risque et de retour à la nature sont particulièrement populaires aujourd'hui.

Alors les enfants, non seulement peuvent grimper mais sont de plus en plus nombreux à le vouloir. Fontainebleau n'a pas échappé à la règle. C'est la raison pour laquelle les circuits blancs pour enfants, que l'on ne risque certes pas de confondre avec les blancs du haut niveau, se sont développés.

A la base de cette idée de circuit, une volonté notamment défendue par la FSGT qui en a fait son cheval de bataille : favoriser la pratique du plus grand nombre en toute sécurité. Sécurité bien sûr relative que l'on doit conjuguer avec les autres valeurs de l'escalade, notamment celle de l'auto-évaluation du risque et de la sécurité à travers la parade. Une vingtaine de circuits dits « enfants » sont ainsi balisés dans la forêt, permettant la toute première initiation. Chaque printemps, ces circuits attirent classes de découverte, sorties scolaires et autres colonies de vacances. Les chaussons d'escalade n'y sont jamais absolument nécessaires, mais il est utile de souligner que le grès est rapidement abîmé par les frottements de chaussures sableuses et que l'on n'acquiert de bonnes sensations qu'avec des chaussons d'escalade.

Peut-être davantage que les autres circuits de la forêt, les parcours blancs sont méthodiquement pensés, le plus souvent par des pédagogues avertis. En effet, le principal écueil de l'activité est l'éloignement des prises que la nature a disposé de manière évidemment aléatoire.

Passer au niveau supérieur, le jaune, voire bleu ou rouge selon la chronologie des couleurs, peut s'avérer problématique, justement parce que lors du traçage de ces circuits, personne n'a pensé que des enfants pourraient se piquer au jeu du bloc. Sans doute leur faudra-t-il un peu de patience, le temps de grandir, pour profiter pleinement des joies de l'escalade à Fontainebleau.

Le « plus » à mettre au crédit des considérations morphologiques liées à l'âge est l'escalade en dalle qui favorise particulièrement les petits gabarits, légers, qui ont ainsi l'occasion d'intégrer des paramètres techniques qu'ils retrouveront lorsqu'ils auront grandi.

La Feuillardière.

Beauvais-Rocher du Duc est

circuit blanc enfants

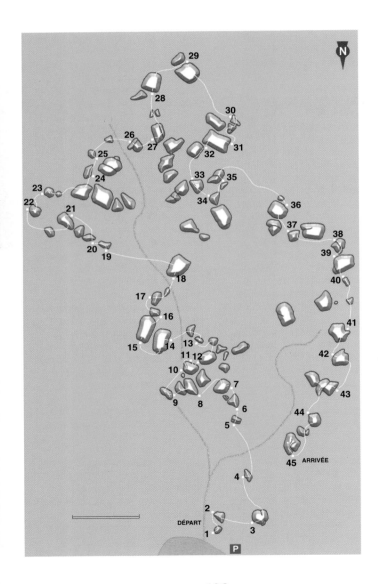

L'escalade pour enfants prend ici tout son sens puisque c'est sans doute l'endroit de la forêt où les scolaires sont les plus nombreux à venir goûter aux joies du bloc. C'est aussi pour cela que le parcours est à la fois technique et motivant, avec des passages d'une ampleur que l'on voit peu sur d'autres parcours enfants.

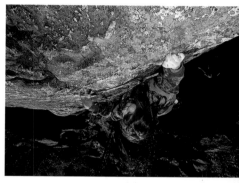

CIRCUIT BLANC ENFANT

voie	difficulté	nom	voie	difficulté	nom
1	☺	Le petit riquiqui	24	☺	L'hippopotame
2	☺☺	La surprise cachée	25	☺☺☺	Le gros dur
3	☺☺	Le gros mif	26	☺☺	Le petit cochon
4	☺	La montagne blanche	27	☺☺☺	Le dinosaure
5	☺	Le phoque	28	☺	Le toboggan de New York
6	☺	La tête du lion	29	☺☺	La baleine bleue
7	☺☺	La grotte de l'ogre	30	☺☺☺	Les gros muscles
8	☺	La queue de la langouste	31	☺☺	Le livre de la jungle
9	☺	Le petit fado	32	☺	La tortue ninja
10	☺☺☺	Le petit difficile	33	☺☺	Le dragon
11	☺	Le rocher des bébés	34	☺☺	La cascade
12	☺☺	Le chat perché	35	☺	La bouche ouverte de la grenouille
13	☺☺	Le bébé clown	36	☺☺☺	Le gros pépère
14	☺☺☺	Le gugus	37	☺☺	La chouette
15	☺	La maman clown	38	☺☺☺	Le poisson d'avril
16	☺	L'oiseau de Beauvais	39	☺	Le chévrefeuille
17	☺	La pierre de cristal	40	☺☺	L'escalier
18	☺	La queue du long cou	41	☺☺	Le pélican
19	☺☺	Le diamant	42	☺	Le zéro prise
20	☺☺	La boule de neige	43	☺	Le sanglier
21	☺☺	La galipette supérieure	44	☺☺	La rampette
22	☺☺	L'éléphant	45	☺☺☺	Les deux amphores
23	☺☺	La pieuvre			

Beauvais-Rocher du Duc est

circuit bleu

voie	bloc	cotation	nom
1	45	3a	La chaufferette
1b	45	4a	
2	42	3c	Ventre dur
3	42	4b	Le pt'it coin
4	37	3c	La motte de beurre
5	34	3c	La prise en compte
6	33	3a	Le bœuf sous le toit
7	29	3a	L'hypothénuse
8	38	4b	La fissure close
9	40	3a	Les pieds dans la semoule
10	32	3a	L'incertitude
11	31	3c	L'appuie-tête
12	31	4b	L'éclopé
13	38	3c	Le poussif nocif
14	22	4b	Pour Olympe
15	22	5a	Agoraphobie
16	19	4b	Les gros bras
17	19	4b	Le pendule des Avaux
18	17	3c	La toile de cinoche
19	16	4a	Objectif grâce
20	15	4a	La pierre de l'édifice
21	15	3c	L'évidence
22	13	4a	L'écailleux
23	10	4c	Comme un singe en rut
24	10	3c	Les dégâts limités
25	11	3b	La dalle de la Carrière
26	12	3c	Le quartier de citron
27	24	4c	Errare humanum est
28	8	4b	Perseverare diabolicum
29	6	4b	Le pin bonsai
30	5	4a	La traversée des cieux
31	2	4a	Le plat garni
32	1	4a	New deal
33	3	4c	Du rouge pour les bleus
34	4	4a	Le long fleuve tranquille
35	25	4a	La bidouille
36	26	4a	Le bloc de poche
37	27	2c	Le trait d'union
38	28	4b	Le complexifié
39	40	3c	La dulf' du vieux cimetière
40	41	4b	Des bogues plein les pognes
41	49	4a	Lacoïonnade
42	50	3b	La frousse bleue
43	52	4a	Le grattounet
44	53	4a	Tête de colombe
45	55	3c	Bouleau chagrin
46	56	4b	Aller simple
47	57	4a	Pas d'affolement pour miss Vibram
48	58	4b	Au gré du grès
49	59	4a	Le bon choix
50	47	4a	Voici le temps du monde fini

CIRCUIT BLEU

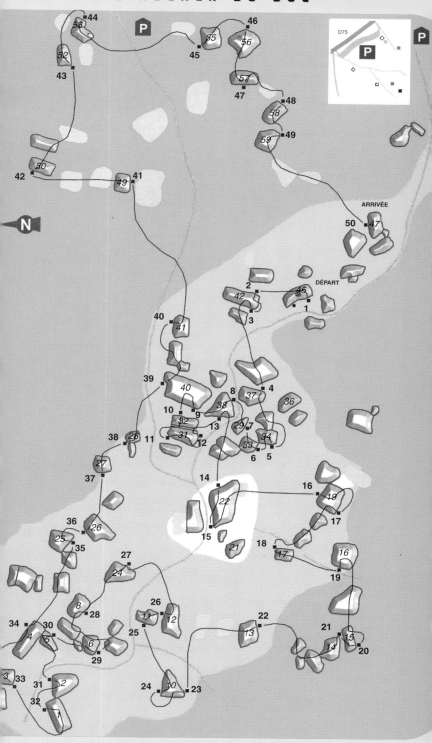

Beauvais-Rocher du Duc est

circuit rouge

circuit noir et blanc

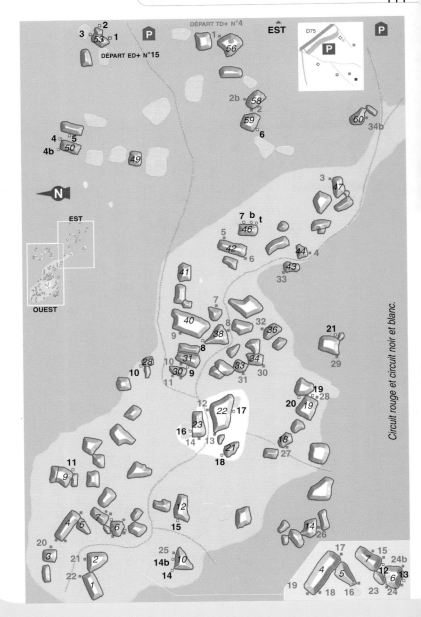

DÉPART TD+ N°4

EST

DÉPART ED+ N°15

Circuit rouge et circuit noir et blanc.

Quand la forêt s'illumine.

	voie	bloc	cotation	nom		voie	bloc	cotation	nom
CIRCUIT ROUGE	1	56	5b	La traversée du désir		22	1	5b	La kaléidoscope
	2	58	5c	Le coq six		23	6	6a	La traversée du bonsai
	2b	58	5c	Le sot poudrage		24	6	5c	Syndrome albatros
	3	47	5b	Un bien beau superlatif		24b	6	6a	Manu : tension
	4	44	5c	Soleil cherche futur		25	10	5a	La rogaton
	5	42	5b	L'amoch'doigt		26	14	6a	D.o.s 6
	6	42	5a	L'has been		27	18	5b	Le folklo
	7	39	6a	Blatte runner		28	19	5c	Le biodégradable
	8	38	5b	Foot bloc		29	35	5b	L'appel du bistrot
	9	40	5a	La rimaye		30	34	6a	L'ouvre-boîte
	10	31	5b	L'oubli		31	33	5c	Néanderthal roc
	11	30	5b	Le confit de canard		32	36	5b	La dure mère
	12	22	5b	Caresses amères		33	43	5c	Roc autopsie
	13	22	5c	Art pariétal		34	61	5b	La traversée des filles
	14	23	5c	Le bœuf carotte		34b	60	5c	La traversée des garçons
	15	7	5b	En bref		35	66	6a	Le coup de boule
	16	5	5c	L'étrave		36	67	5c	Mauvais sang
	17	4	5c	L'étambot		37	68	5b	Sans l'arrêt
	18	4	5b	Les chaires mobiles		38	65	5b	Le trou des garçons
	19	4	5b	Trompe la mort		39	65	5b	Le trésor public
	20	3	5a	J'ai fantaisie		39b	63	6a	La tripack
	21	2	5b	Le distingo		40	65	5b	Tu ne voleras point

Beauvais-Rocher du Duc est

circuit rouge |||

circuit noir et blanc |||

La particularité de ce circuit noir et blanc est sans doute la prédominance de passages en traversée. Il est vrai que le peu de hauteur des blocs a contraint les grimpeurs à décliner l'escalade à l'horizontale, même si l'on y trouve aussi quelques passages d'ampleur comme la superbe *Etrave à sucre*. Si vous trouvez le niveau trop difficile, le circuit rouge vous offrira les mêmes plaisirs, un peu moins exigeants.

Quand l'escalade se fond dans le bleu acier du ciel.

	voie	bloc	cotation	nom
CIRCUIT NOIR ET BLANC	1	53	7a	L'éloge de la différence
	2	53	6c	le mouton noir
	3	53	6a	Sang d'encre
	4	50	6c	Coup de blues
	4b	50	7b	L'étrave à sucre
	5	51	6c+	Le grain de beauté
	6	59	6a	Bagdad café
	7	46	7a+	Mathilde
	7b	46	7b	Je broie du noir
	7t	46	7b	Le sectaire
	8	38	7a+	Le nègre en chemise
	9	31	7a	La mouche
	10	28	7a	Le black out
	11	9	6b	Les abysses
	12	7	6b	Le petit ramoneur
	13	6	6c	Les ongles en deuil
	14	10	6c	Le cliché N&B
	14b	10	7b+	La gueule du loup
	15	12	6c	La magie noire du derviche
	16	23	6b	M&M's
	17	22	7a	L'anthracite
	18	21	6b	Le brou de noir (statique)
	19	19	6b	L'onyx
	20	20	6b	La limonite
	21	35	6b	La dame noire
	22	62	6c	Le cambouis du diéseliste
	23	64	6a	L'Amoco
	24	71	7a	L'œuvre au noir
	24b	72	7c	Le dalhia noir
	24t	73	7a	La ballade du champion
	25	74	6b	La veuve du fossoyeur
	26	70	6a	Le mâle blanchi
	27	65	6a	Le café crème
	28	65	6b	Le capuccino
	29	66	6c	Le crawl en mer noire
	30	67	6b	L'ébène
	30b	67	6c	La perle de jais
	30t	67	7a	Danse macabre

Circuit rouge et circuit noir et blanc.

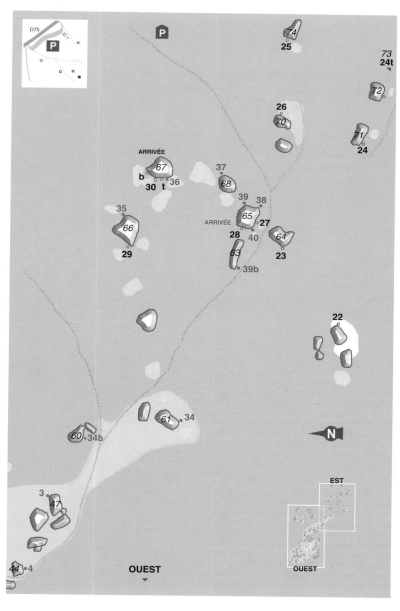

Beauvais-Rocher du Duc ouest
circuit jaune

Tout en douceur du Canon au 95.2.

	voie	cotation
CIRCUIT JAUNE	1	1c
	2	2a
	3	2b
	4	2c
	5	2c
	6	2c
	7	1c
	8	2a
	9	2b
	10	2a
	11	2a
	12	2c
	13	2c
	14	2b
	15	2a
	16	2a
	17	2c
	18	2b
	19	2a
	20	2b
	21	2a
	22	2b
	23	2b 2 variantes 1c
	24	2b
	25	2c
	26	2a
	27	2a
	28	2a
	29	2b
	30	2b variante 2c
	31	2c
	32	2b
	33	2a
	34	2a
	35	2b
	36	2c
	37	1c
	38	2b variante 2c
	39	2c
	40	2a

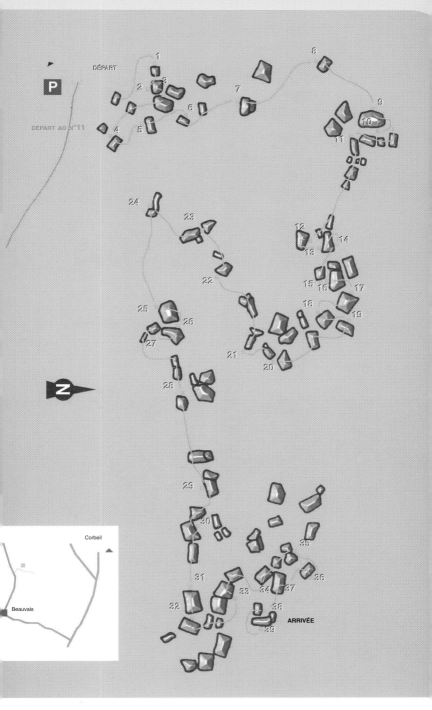

LA PADOLE

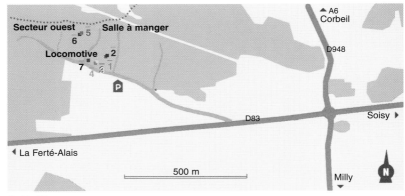

La Padôle.

Hymne à la nature dans Le mur à Jacques.

La Padôle

Au milieu des champs, qui pourrait penser trouver d'abord des rochers, et surtout un tel charme. La végétation luxuriante au printemps fait davantage penser à celle des tropiques qu'à ce que l'on trouve habituellement à Fontainebleau. Les rochers ensuite dont la hauteur et le toucher surprennent et séduisent indiscutablement.

L'engagement ici frise l'exposition pour beaucoup de passages et ce quelle qu'en soit la difficulté. Le grain du grès, sans doute le plus fin et le plus adhérent de toute la forêt, laisse sous les doigts l'impression de coller au rocher.

Le massif est tranquille, peu fréquenté en règle générale, et la nature reprend ses droits parfois autour de certains blocs. Il faut venir de temps à autre grimper ici pour goûter les attraits d'un site où exigence se conjugue à merveille avec ambiance.

La Padôle

Secteurs Salle à manger et Locomotive.

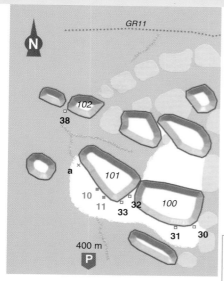

Secteur ouest.

Ambiance tropicale à La Padôle.

PASSAGES CHOISIS

bloc	voie	circuit	cotation	nom
1	2	●	5a	Le cheminot
1	3	●	4c	Les bavures jaunes
1	4	●	5c	
1	5	●	5b	Fissure de Tender
1	3	●	6b	TGV
1	5	●	7b	Carte orange
1	4	●	7a	La vie du rail
2	7	●	6b	Odeur de vestaire
10	8	●	5c	
11	9	●	5c	
12	12	●	4c	La nord ouest du sandwich
13	8	●	6a	Anti takat
13	10	●	6a	La gitane
13	11	●	4c	Mur de son
14	10	●	6b	Les aventuriers
14	13	●	5b	Salle à manger
14	14	●	5b	L'écho muet
14	11	●	6c	La dernière croisade
14	17	●	5c	Service compris
15	12	●	7a+	
15	15	●	6b	Sabbah
15	15	●	6c	L'ami bernard
15	16	●	6c	Bagdad café
16	16	●	5b	Enfin heureux
16	13	●	6b	La cache
17	18	●	7a+/7b	Tyama arachi *7b départ au fond*
17	17	●	6a	Tien Anmen
18	a	✗	6b/7a	Tani otochi *7a départ au fond*
19	20	●	5c	L'expo
20	21	●	5b	Le mur à Jacques
20	19	●	6a	Tombé du ciel
20	20	●	6b	Alertez les bébés
100	31	●	6b	Kalimantan
101	a	✗	7c+	Fin de journée *Traversée sortie 32 noir*
101	11	●	4c	Paroles
101	33	●	6b+	Kango
101	32	●	7a	Délice choc
102	38	●	6b	Le petit écolier

Magie de la nature, ces aérolithes sont un mystère.

La Dame Jouanne

CIRCUITS	
Jaune PD	❑
Mauve AD+	●
Orange AD	❑
Bleu D-	❑
Rouge TD-	❑
Blanc ED	○
Noir ED+	●

Sauts de mains
Un des jeux préférés de nos glorieux prédécesseurs était sans nul doute les sauts d'un bloc à l'autre. Le SAMU n'existait pourtant pas encore. Parmi les plus impressionnants réalisés, plusieurs se trouvent à la Dame Jouanne et le plus hallucinant est sans doute celui qui consistait à sauter depuis la platière jusqu'au bloc de la Dame Jouanne. Autres temps… les sauts ont disparu de la pratique, les grimpeurs d'aujourd'hui préférant protéger leur dos.

Douze mètres ! ! ! C'est la hauteur du plus haut bloc de Fontainebleau. Assez curieusement, lorsque les premiers visiteurs sont venus en ces lieux au début du siècle, ils se sont moqués de la faible hauteur de ce piton rocheux au regard de ceux des Alpes. S'ils pouvaient voir le succès que connaissent désormais ces rochers, nul doute qu'ils seraient bien surpris. Ce massif est principalement connu pour le très célèbre circuit mauve qui le parcourt et propose près de mille mètres de dénivelée à ceux qui l'enchaînent. Beaucoup de grands alpinistes parisiens de renom préparaient leur saison alpine en ces lieux justement au long de ce très long circuit, généralement exposé.

Aujourd'hui, la mode est moins à l'enchaînement qu'à une pratique bloc à bloc, et de très nombreux circuits ont été tracés tout au long de ce gigantesque chaos. S'y retrouver tient parfois de l'exploit mais le panorama est d'une telle beauté que c'est un vrai plaisir de chercher.

La tombe de Cocteau à Milly.

La Dame Jouanne

circuit mauve

voie	cotation	nom	voie	cotation	nom
1	2b	Le réta du pof	39	2c	La fissure des dames
2	3b	Le mur à Jules	40	3a	Le mur de la gitane
3	3c	La traversée du fada	41	3a	Les oreilles de cocu
4	4b	La mine aux demis	42	2b	Le rocher du Gaulois
5	3a	La cheminée du gruyère du requin	43	3b	Le mur des préliminaires
6	3b	Le génevrier	44	4a	La fissure Souverain
7	2b	Le rocher bouffé aux mites	45	4a	L'angle sud-ouest de la calanquaise
8	3b	La traversée du temple	46	3a	La balançoire
9	3c	La traversée du rocher rond	47	3c	La goulotte de la rampe
10	3a	L'accès au Simplon	48	3c	Les tripes à Géo
11	3b	Le rateau de chèvre	49	3a	La face sud de l'hippopotame
12	3c	La fissure à Tom	50	2b	
13	3a	La traversée verte	51	3b	La tour de Pise
14	3c	L'angle des J3	52	3c	L'arête de Larchant
15	2b	La takouba	53	3c	La voie du cheval
16	4a	Le réta vicelard	54	2b	Le rocher de la dalle aux Mathieux
17	3a	La traversée du jardin	55	3a	Le rocher du tremblement de terre
18	3b	La fissure à pipi	56	3a	L'empruntée
19	2b	La boite aux lettres	57	3c	La fissure sud de l'ours
20	4a	La tubulaire	58	3a	L'arête nord-ouest de l'ours
21	3b	La voie cassée	59	4a	Le face-à-main
22	3c	Les assiettes	60	3c	La dalle Brégeault
23	3b	La paroi aux trois grottes	61	3c	Le rateau de bouc
24	3b	La pesée	62	3c	La fausse glissière
25	4a	Le dièdre baveux	63	3b	Le parapluie
26	4b	La patinoire	64	3b	Le cache Baba
27	3b	Le coude désossé	65	3c	Le Baba coulant
28	3c	Le n°1 de la dalle aux pigeons	66	3b	La dalle du radio circus
29	3c	La muraille de Chine	67	3b	La traversée du Rigoulot
30	3c	La muraille de Chine (suite)	68	3b	La dalle de feu
31	4a	Les grattons du french cancan	69	3b	Le rocher du jeune marié
32	3b	La voie des lacs	70	3a	Le pas de Barbe-bleue
33	3b	La voie qui mérite un numéro	71	3c	La traversée du petzouille
34	3b	Les trous de gauche de la Caroline	72	3c	Le pas de la chaise électrique
35	3b	La forêt vierge	73	4b	La traversée à Mimiche
36	2b	Les grattons des petits enfants	74	3c	La face nord du petit minet
37	3c	Les maquereaux au vin blanc	75	3b	L'arête de la petite noire
38	4b	L'envolée du tank	76	3c	La traversée du tourniquet

CIRCUIT MAUVE

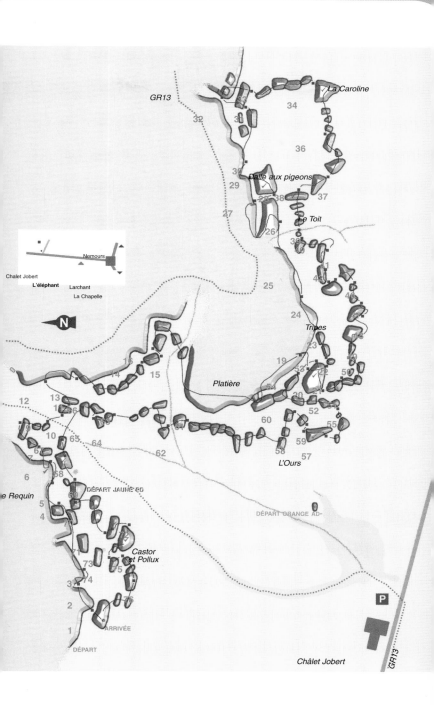

La Dame Jouanne

circuit noir

circuit blanc

	voie	cotation	nom
CIRCUIT BLANC	1	6b	Le pied là
	2	6a	Le grand noir
	3	6b	Le toit du koala
	4	6c	Culbutor
	5	5b	La dalle verte
	6	6b	Le trou normand
	7	6a	Le trou de secours
	8	6b	Extractor
	9	5c	La rampe
	10	5c	La gouttière
	11	6a	L'ours blanc
	12	6b	Le tendu
	13	6c	Le trou de l'Anord
	14	6b	Spélman
	15	6c	Le dernier empereur
	16	5c	Sans l'angle
	17	5b	L'angle mort
	18	6a	Le Pontet bas
	19	6b	L'expo supo
	20	6b	Le bras carré
	21	6c	Prédator
	22	6a	Le pied-main
	23	7a+	L'angle parfait
	24	5c	Les p'tits plats
	25	6a	La tranchante
	26	6c	Anse Lazio
	27	6a	Les grottes de Kocamador
	28	6a	L'écaille cassée
	29	6b	Le surbac plomb
	30	6a	Tetehamor
	31	6b	La crampe à Rachid

L'escalade se fait danse au couchant.

	voie	cotation	nom
CIRCUIT NOIR ET HORS CIRCUIT	a	6b+	Vertibloc
	b	6b+	Moselle
	c	7a+	Baladium
	d	7b+	Scolopendre
	e	7a+	Monumendalle
	f	7b+	Etoile
	g	7b+	Nuage
	h	7b+	Le plafond
	i	7a+	Murmur
	j	7a+	Anti G

voie	cotation	nom
k	7b	Dévertige
m	8a+	Hibernatus
n	7a+	Strechin
o	6c	Arrêt sur image
p	7a+	La grenouillère
s	7b+	L'angle plus que parfait
t	7a+	Chair et cuir
u	8b	Unforgiven

Circuit noir ED+ : balisage par une lettre majuscule en cours

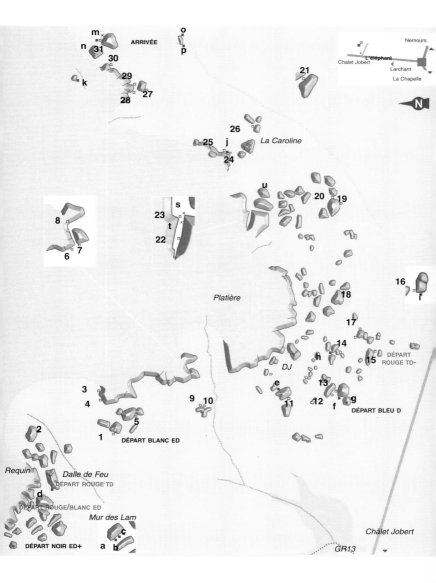

m x
n 31
30
k 29
28 27
ARRIVÉE
o
p

21

L'éléphant
Nemours
Châlet Jobert
Larchant
La Chapelle

N

26
25 j
24
La Caroline

u
20 19

8
23 s
t
22
6 7

Platière

16
f

18

17
14
15
DÉPART
ROUGE TD-

3
4
1
5
DÉPART BLANC ED

DJ
h

9 10
e
11
13
12 f
g
DÉPART BLEU D

2
Requin
Dalle de Feu
DÉPART ROUGE TD
d
DÉPART ROUGE/BLANC ED

Mur des Lam
c
a b
DÉPART NOIR ED+

Châlet Jobert

GR13

Maunoury

CIRCUITS

Vert AD- ❏
Bleu D ●
Rouge TD ❏

Ce massif reste assez peu fréquenté du fait qu'il est proche voisin de la Dame Jeanne.

C'est la raison pour laquelle les quelques circuits qui le parcourent permettent de grimper tranquille, sur des passages généralement très fournis en prises. L'engagement est moins marqué qu'à la Dame Jeanne, ce qui n'empêche pas les voies d'avoir pour la plupart une belle ampleur.

Petit clin d'œil, c'est ici que Bernard Giraudeau a fait ses premières armes de grimpeur en compagnie de deux des grands alpinistes du siècle, Lucien Bérardini et Robert Paragot, qui sont des inconditionnels du site et à l'origine de beaucoup de ces passages.

Maunoury

circuit bleu

voie	cotation	nom	voie	cotation	nom
1	3c	Le bilboquet	16	4a	La traversée du nid
2	3b		17	4b	La traversée de la grande Monique
3	4c	La vire à bicyclette	18	3c	Le château fort
4	3b	Le miroir aux alouettes	19	2b	La pâtissière
5	4c	Le super toboggan	20	3b	La descente de la loco
6	3c	L'arête ronde	21	4a	La dalle du clodo
7	4b	Le surplomb du boxeur	22	3c	La petite fresque
8	3a	Les fesses	23	4b	La traversée du camembert
9	4a	Le surplomb du cuveton	24	3c	Le petit !
10	4a	La gifle	25	3c	La fissure du bec
11	4b	Le surplomb du prélude	26	4b	Le surplomb des tétons
12	3c	L'arête du triangle	27	3a	La cheminée du rouge-gorge
13	4b	La boîte	28	4a	La face est du motard
14	3a	La dalle des paras	29	4a	La traversée de Rigoulot
15	4a	Le rocher de Sacha	30	4b	La petit z

voie	cotation	nom		voie	cotation	nom
31	3c	Le surplomb du porte-manteau		52	3c	Le spoutnik 2
32	4b	La traversée du vieux marin		53	3c	Le trou du souffleur
33	4a	Le pas de géant		54	3b	Le jeton
34	4b	Le dévers		55	4b	Le mètre pliant
35	3c	La traversée du calbar		56	3b	Le piano à queue
36	3b	Le réta du trésor		57	5b	Les orgues
37	3c	Le contour du pilastre		58	3c	La brique réfractaire
38	3b	La petite plaque de marbre		59	3b	La glissière à Toto
39	3c	La paire de bretelles		60	3b	L'aérolithe
40	4b	La fissure des signes rupestres		61	3a	Le coupe-gorge
41	2c	L'embrasse-moi		62	3a	Le surplomb de la dégonflée
42	4a	Le mur blanc		63	3a	La poignée de métro
43	3b	Les planqués		64	3c	Le surplomb de Fakstind
44	4b	Le pot de moutarde		65	3c	L'étrave
45	3b	La tour de l'Orient		66	4a	L'échelle de coupée
46	4a	La tour Denecourt		67	3b	La traversée des pattes de tortue
47	3b	La sauce verte		68	4a	Le bec de gaz
48	3c	La sauce blanche		69	3b	L'arête du poivrot
49	3b	Le menhir		70	3a	Le marchepied de l'autobus
50	3b	Le collier du dogue		71	3c	La voie de la fin
51	4b	Les spoutniks				

L'éléphant

CIRCUITS

Passages choisis

Au milieu des champs, qui pourrait penser trouver sans doute le rocher le plus célèbre de la forêt après sa proche voisine la Dame Jouanne. Sous les rochers, la plage et c'est aussi un des atouts de ce massif que de pouvoir s'y mouvoir sur du sable d'une telle finesse. Paradoxalement, l'escalade y est un peu engagée. Par la hauteur des rochers d'abord et surtout du fait que se déroule au pied de certaines voies, un tapis parfois surprenant de racines et blocs enchâssés. Ce ne sera pas le cas du fameux bloc de L'éléphant, dont les

flancs sont couverts de voies de tous niveaux qui permettent de grimper sur son dos. Le plus souvent, ce sont de bonnes prises qui attendent les grimpeurs et c'est la raison pour laquelle les blocs sont particulièrement parcourus au printemps, voire en été lorsque la chaleur ne permet plus l'escalade sur grattons et autres réglettes. La nature a donné d'étranges formes à certains rochers qui prennent au soleil couchant une bien étonnante apparence.

Beaucoup de circuits ont été tracés à L'éléphant. La plupart de ces flèches disparaissent peu à peu et la mousse reprend ses droits sur de nombreux rochers. Ici la pratique du bloc à bloc s'est imposée, c'est la raison pour laquelle nous avons sélectionné certains passages sous la forme de fiche topo et non des circuits. Seule constante pour l'ensemble des problèmes, leur ampleur. A noter que pour le passage *Partenaire Particulier*, une pierre ou deux crash pads superposés sont indispensables pour réaliser le jeté de départ.

L'éléphant

passages choisis |||

PASSAGES CHOISIS

bloc	voie	circuit	cotation	nom
1	1	●	3c	*Traversée sous le toit, sortie bleu, 6a*
1	1	●	6a	
1	1b	●	4a	
1	1	●	4b	
1	2	●	5c	L'y
2	3	●	6a	La chute du moral
3	4	●	5c	
3	3	●	4a	
4	a	✗	7c	Coup de lune
4	5	●	5c	
5	a	✗	7b+	Vache folle
5	b	✗	7c+	Egarement
5	6	●	5c	
5	7	●	5c	
5	7b	●	5b	
6	a	✗	7a	La figure de proue
6	b	✗	6c	Le pilier Droyer
6	8	●	5c	Le mur de la mort *Très exposé*
7	a	✗	5b	*Traversée D>G*
8	a	✗	7a	
10	17	●	4c	L'aigle déployé
10	12	●	6b	La directe de l'aigle *Engagé*
11	15	●	4c	
11	10	●	6b	Le lancer
12	18	●	5a	
12	11	●	5c	L'appui
12	13	●	6a	
12	14	●	6c	
13	23	●	4c	Départ du bloc
13	31	●	6b	Le toît du loup
13	a	✗	7a	Traversée des dieux *Traversée D>G*
13	32	●	6c+	Voie du flirt
13	33	●	4b	
13	24	●	5c	
14	a	✗	7b	Haut de gamme
14	33	●	6c+	Le pilier légendaire *Engagé*
15	a	✗	8a+	Partenaire particulier
21	a	✗	7b+	Monsieur plus *Traversée G>D*

bloc	voie	circuit	cotation	nom
21	23	●	6a	
21	24	●	6a	
21	26	●	5b	
22	22	●	6c	
22	26	●	4c	
23	24	●	3b	
23	22	●	3c	
23	19	●	6b	Fissure du trio
23	18	●	5b	Le trou du trio
23	29	●	5a	
24	17	●	6b	Les quatre cents buts
24	30	●	5b	
24	16	●	5b	Le médaillon
25	a	✗	7a	Le lépreux *Traversée G>D*
25	b	✗	7a	
25	20	●	6a	
26	26	●	6c+	Le bouton
26	42	●	4c	
26	25	●	5b	
27	a	✗	7b+	Etat d'urgence *Encordé*
27	b	✗	6c	Protection rapprochée *Sableux*
28	27	●	5c	
28	46	●	5a	
29	25	●	3c	
30	35	●	5b	
32	36	●	7a	Le cœur
33	a	✗	7c	Envie d'ailes
33	b	✗	7b+	Envie d'air *Traversée*
33	37	●	5b	
34	38	●	6b	
35	39	●	6c	
36	40	●	5c	Dalle à Poly
36	40b	●	4c	Dalle à Poly
36	a	✗	6b	Dalle à Poly
A	a	✗	7a	Le bout du monde *Traversée D>G*
A	b	✗	7b	Le bout du monde *Traversée G>D*
A	a, b	✗	7c	Le bout du monde *Enchaînement des deux traversées*

AUTOUR DE LARCHANT

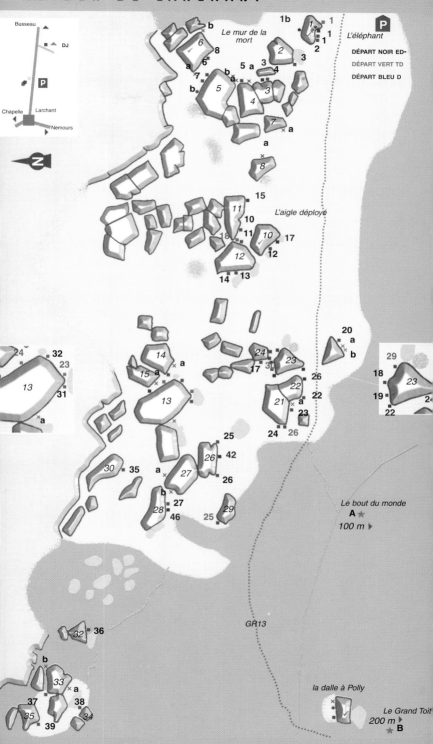

Busseau

DJ

P

Chapelle   Larchant

Nemours

N

1b   *1*   1
                1
L'éléphant

P

DÉPART NOIR ED–
DÉPART VERT TD
DÉPART BLEU D

Le mur de la mort

b   *6*   8
a   6
7   b   b   á   5 a   3   4
b   *5*   *2*   3
4   *3*
7   a
a

×
8

15
11
L'aigle déployé
10
18   *11*   *10*   17
12   12
12
14   13

20   a
b

24
14   a   a   17   30   *23*   26
15   a   22   29
13   *22*   18
21   *23*   19   *23*
24   26   22   2
22
×
23

24   *24*   23   31
32   *13*
23   30   35   a   25   a
31   *27*   26   42
a   26
13   b   *27*
×   a   *28*   46   25   *29*
30   35

Le bout du monde
A ★
100 m ▶

32   36

b
33   a
37   38
35   *34*
39

la dalle à Polly
×

Le Grand Toit
200 m ▶
★ B

Petit bois

CIRCUITS

Jaune PD+/AD-   ❑
Bleu D   ●
Rouge TD+   ❑
Noir ED+   ●

Près du centre de Nemours, Petit Bois porte bien son nom. C'est, de fait, un petit bois, situé à côté d'une zone résidentielle et à deux pas de la mairie. Avant l'ouverture des circuits qui sont aujourd'hui la fierté de leur auteur, peu de grimpeurs faisaient le déplacement jusqu'à cette limite sud de la forêt de Fontainebleau. Depuis trois ans pourtant, le succès est au rendez-vous. La large palette de difficultés que l'on retrouve tout au long des quatre circuits en est probablement à l'origine. Mais c'est compter sans le charme certain de ce petit massif que l'on peut fréquenter même au plus fort de l'été. Non loin de là, le rocher Gréau propose de très beaux challenges, pour la plupart de très haute difficulté avec un engagement proche de l'exposition. Un peu plus éloignée, la Fosse aux Loups offre un autre type d'escalade de bloc, très proche des Gritstones de nos amis anglais.

Bernard Théret dans une traversée secrète et insolite.

PAROLES D'OUVREUR

Les sites d'escalade ne sortent pas de terre comme par magie. L'exemple du Petit Bois est révélateur de ce qu'a, de tout temps, représenté l'ouverture d'un site nouveau. La rencontre avec Bernard Théret, ouvreur des quelques deux cent cinquante passages du site, fait prendre conscience des ingrédients essentiels : bénévolat et passion.

A la base de tout, la curiosité : « Derrière chez moi, en allant faire du trial, j'ai découvert ce Petit Bois. Attiré par les lignes du rocher, j'ai contacté la mairie pour savoir qui en était propriétaire. » C'était un terrain communal. Après, c'est un long travail de patience : « Trois ans de brossage, de défrichage et de découvertes en tout genre s'en sont suivis. Trois ans au cours desquels chaque passage est devenu partie intégrante dans mon esprit de circuits avant de les matérialiser sur le terrain sous la forme de petites flèches. J'avais en effet envie d'offrir aux grimpeurs quelque chose qui reste ; et les quelques deux centcinquante blocs ouverts sont un cadeau ».

Travail de force aussi « J'ai usé je ne sais combien de brosses métalliques pour mettre à jour chaque prise. C'est du plaisir à l'état pur ; chaque centimètre carré de mousse cache peut-être un trésor... ».

Enfin, arrive le moment de le faire savoir aux autres : « Lorsqu'en 97, j'ai offert le premier parcours bleu à la collectivité, j'ai eu comme un sentiment d'aboutissement et néanmoins un immense regret. C'était fini. Il me faudrait maintenant chercher ailleurs. C'est sûr, la récompense ultime est le plaisir des grimpeurs qui fréquentent aujourd'hui le Petit Bois et surtout le fait qu'ils y reviennent. »

Que reste t-il ensuite ?

« L'histoire est ailleurs, dans un autre coin de la forêt que je vais aller fouiller, en espérant qu'il soit de la même veine que celui-ci. Ne me demandez pas pourquoi, je sais simplement comment et pas encore exactement où. »

Ainsi en est-il depuis que les grimpeurs ont posé leurs mains sur le grès de Fontainebleau. Non, c'est certain, un site ne sort pas de terre par magie.

Petit bois

circuit bleu

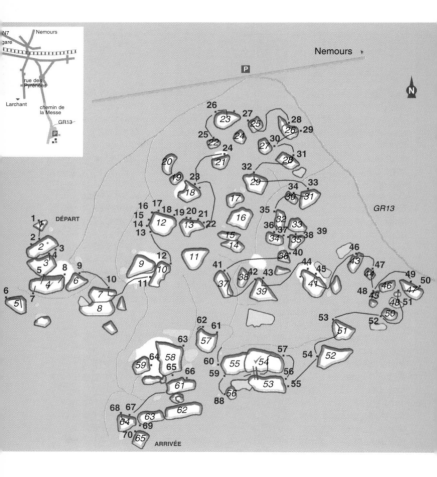

La baleine, un des plus remarquables blocs du massif.

CIRCUIT BLEU	voie	bloc	cotation	nom
	1	1	4b	Carapace
	2	2	4a	Nid d'abeilles
	2b	2	4b	Nid d'oiseaux
	3	2	4b	Rêve d'Eiger
	4	3	4a	La vague
	5	4	4a	Face nord
	6	5	4a	Sans les mains
	7	4	4a	Toute confiance
	8	4	4b	Silence
	9	6	4a	Haut les pieds
	10	7	4b	Hésitation
	11	10	5a	Rondeurs ennemies
	12	10	4b	Emotions
	13	12	4a	Petites formes
	14	12	4a	Plat du jour
	15	12	4a	Rando bleu
	16	12	4a	Etroiture
	17	12	4b	Dans les nuages
	18	12	4b	Angle gauche
	19	13	4b	La bonne taille
	20	13	4a	Pour les mains
	21	13	4b	Blocage
	21b	13	4b	Des blocages
	22	13	4a	Dérapage
	23	18	4b	Ténéré
	23b	18	4b	Super Ténéré
	24	21	4b	Le réveil matin
	25	22	4b	En trave
	26	23	4a	L'hélicol
	26b	23	4a	Le super frelon
	27	25	4a	L'acrobate
	28	26	4b	Bil Boquet
	29	26	4b	Boule Boquet
	30	27	4b	Action plus
	31	28	4b	Belle à faire
	32	29	4a	Le guépier
	33	31	4a	L'allonge
	34	30	4a	Achille t'as long

voie	bloc	cotation	nom
35	32	4b	Muraille
36	34	4a	Le rouge est miss
37	34	4b	Du rail
38	35	4b	Chercheur d'or
39	35	4a	Sur le fil
40	36	4a	Que dalle
41	37	4a	Le buffet
42	39	4b	P'chy cause
43	39	4b	Le roncier
44	41	4b	Le rempart
44b	41	4a	Ramping
45	41	4a	Don jon
46	43	4a	Contre bras
47	44	4a	Le plan incliné
48	45	4b	Pain de sucre
49	47	4b	Le gruyère
50	47	4b	Sans comté
51	48	4a	Angle roc
52	50	4a	Dans l'ombre
53	51	4c	Squat
54	52	4a	Convexasse
55	53	4c	L'aboréta
56	53	4b	Fuillangle
57	54	4c	Bruit de couloir
58	56	4b	L'excentré
59	55	4a	Le muret
60	55	4a	L'élinante
61	57	4b	La dérive
62	57	4a	Compression
63	58	4b	Le merisier
64	59	4a	Gratangle
65	58	4a	Près des anges
66	61	4b	Extorsion
67	64	4b	Déroutage
68	64	4a	Le penchant
69	63	4a	Le fond de grès
70	65	4a	L'arrêt qu'on pense

Petit bois

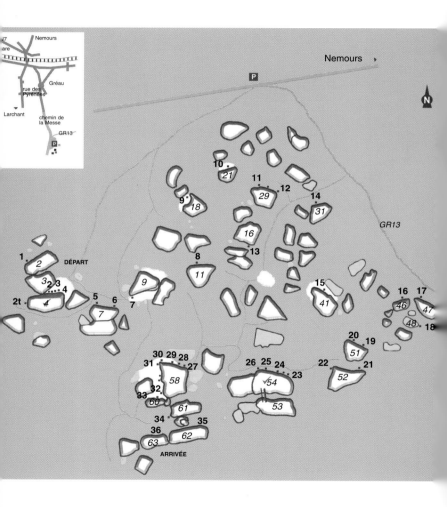

*Fosse aux Loups, sur le grès particulier
de ce site inclassable.*

CIRCUIT NOIR

voie	bloc	cotation	nom
1	2	5b	Préchauffe
2	4	6c	La balade de Jim
2b	4	7a+	T comme Tarzan *Exposé*
2t	4	6c	L'œuf
3	4	7a+	Passage à l'acte *Exposé*
4	4	6c	Big Jim *Engagé*
5	7	6b+	Le dolmen
6	7	6b+	Rataplazip
7	9	7a	La baleine
8	11	6b	Le triangle d'or
9	18	6a	Remise à l'heure
10	21	6a	Big Ben
11	29	6b	Le casse-tibia
11b	29	7c	Morte plaine
12	29	6a+	Les petits vérins
13	16	6b	Parapente
14	31	6b	Le GR bloc
15	41	6b+	Les douves
16	46	6a	Big bloc
17	47	6c	Bidoigts pour monocéphal
17b	47	7b	Convulsions
18	48	6a	L'escalier

voie	bloc	cotation	nom
19	51	6b+	L'ange mobile
20	51	6b+	Le doigt carré
21	52	7a	Rebord retord
22	52	7a	La prise clef
23	54	6a+	L'Emoréta
24	54	6b	Ligne de force
24b	54	7a+	Pro-pulse
25	54	6b	Sur prises
26	54	6b	Le plat pays
27	58	6c	Vacances à Bombay
27b	58	6c	Conduite rapide
28	58	6a+	Elongation
29	58	6c	Machine à jambon
30	58	6b+	L'angle rotulien
31	58	6b+	La cruxi friction
31b	58	7c	Le mur du son
32	58	6b	Le beau quartier
32b	58	7a	L'arc Angel
33	60	6b	La vengeance des triceps
34	61	6a	Des pieds, des mains
35	62	6c	Vive les vacances
35b	62	7b	Travaux forcés
36	63	6b	Le chat de gouttière

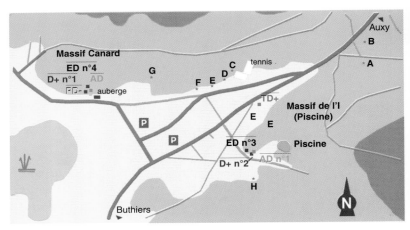

Buthiers.

Christophe Laumône, grand découvreur de blocs perdus.

Buthiers, Malesherbes

CIRCUITS

SECTEUR CANARD

Jaune PD-	❏
Orange AD	❏
Bleu D+	❏
Noir ED	❏

SECTEUR PISCINE

Blanc enfants (2 circuits)	❏
Orange AD-	❏
Bleu D+	●
Rouge TD+	❏
Blanc ED	●
Hors circuit	✗
Hors site	★

Malesherbes est le plus au sud de tous les sites grimpables. Son succès est sans doute dû en grande partie à la création de la base de loisirs qui a été installée en plein cœur des rochers, les sauvant par là même de la privatisation dans les années soixante-dix. Certes on y grimpait avant, mais le fait que l'escalade y soit proposée à des milliers de jeunes a permis d'exploiter systématiquement toutes les possibilités.

On n'oubliera pas que les premières traversées sont nées dans ce laboratoire en plein air grâce à la passion de deux grimpeurs, moniteurs de la base. On y trouve aussi des vestiges de la grande époque quand l'escalade artificielle avaient ses lettres de noblesse, dans les années cinquante ; et de nombreux pitons émaillent encore certains rochers.

Aujourd'hui, l'escalade à Buthiers reste très diversifiée, proposant à la fois des traversées et des blocs qui sont de véritables références, et même pour certains d'entre eux, des passages d'anthologie. Exposition omniprésente.

Partage, un nom qui en dit long sur ce merveilleux bloc.

Ambiance solitude dans les blocs de Boigneville.

Buthiers, Malesherbes

circuit bleu

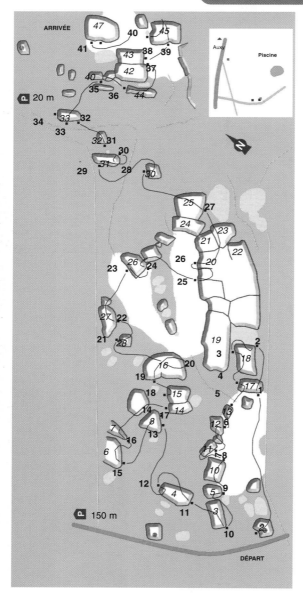

ARRIVÉE

Auxy

Piscine

P 20 m

P 150 m

DÉPART

CIRCUIT BLEU

voie	bloc	cotation	nom
0	2	4b	Départ
1	17	4a	La jambe en l'air
2	18	4b	La rampe de l'escalier vert
3	18	4b	La vire à Bibi
4	17	4c	La lime à ongle
5	13	4c	L'as tactique
6	12	4c	Le petit Cervin
7	11	4b	L'onglier
8	10	4c	La dalle de marbre
9	5	4c	Le jeté tentant
10	3	4a	L'angle du grincheux
11	4	4c	L'andouille de vire
12	4	4c	Le quadriceps gauche
13	8	4a	Les doigts sous le pied
14	8	4b	La dalle du pin
15	6	4c	Le jazz
16	7	3c	La java
17	14	4a	Le quadriceps droit
18	15	4a	Les pieds à plat
19	16	4b	Les doigts coincés
20	16	4a	Les mains à plat
21	28	3c	Les baquets

voie	bloc	cotation	nom
22	27	4b	L'enjambée
23	26	4c	Le général direct
24	26	3c	Les grattons du général
25	20	4c	La fissure du sherpa
26	20	4b	Le dé rance
27	25	4b	La bien planquée
28	30	3c	La vite fait
29	31	4c	La Descheneaux
30	31	4b	L'envers de la Descheneaux
31	32	3a	L'histoire de
32	38	4c	Le surplomb des poings
33	38	3b	Les poings à gauche
34	38	4b	La fissure des poings
35	40	4b	Le plaisir des dames
36	44	3a	Le plaisir à personne
37	42	4a	Le minaret
38	43	3c	Les trous du gruyère
39	45	5a	La fissure de l'I
40	45	5a	La fissure verte
41	47	4c	La mine à Rey
42	47	4c	La fissure Brutus

Buthiers, Malesherbes
circuit noir

C e circuit a été tracé par Alain Michaud, précurseur de la très haute difficulté à la fin des années soixante-dix. Il a ouvert ici quelques passages exceptionnels qui sont aujourd'hui encore des références techniques et physiques de haute volée.

CIRCUIT NOIR

voie	bloc	cotation	nom		voie	bloc	cotation	nom
1	1	6a	L'envers des fesses		20	43	6c	La voie Mercier
2	3	5b	Le pare brise		21	47	5c	La super angle Brutus
3	10	6a	Surplomb de marbre		22	47	6a	La Brutus
4	10	6b	Le grand angle		23	50	6b	La traversée du culot
4b	10	5c	La jojo		24	51	5c	La dynamostatique
5	12	5c	La directe du petit Cervin		25	55	6a	L'étrave
6	19	5c	Le marchepied		26	53	5c	L'angle de la fresque
7	16	6a	Les supers grattons		27	53	6c	La super fresque
8	16	6a	Les grattons		28	54	6b	L'ultra son
9	21	6a	Les pédales		29	56	5c	La coupe rose
10	24	6b	L'orléanaise directe		30	57	6c	Le surplomb taillé du pique nique
11	22	5c	La piscine		31	58	5c	La dalle Poulenard
12	31	5c	La Descheneaux		32	58	5c	Le surplomb de l'Usi
13	31	5c	L'envers de la Descheneaux		33	60	5b	La sup direct des Minets
14	34	6a	La voie lactée		34	60	5b	Le directissime des Minets
15	36	6b	L'excuse		35	60	6a	Le charleston
16	37	6c	Le Cource doigt		36	60	6b	Le swing medium
17	42	5c	Le perlinpimpin		37	62	6b	Rêve de singe
18	44	5c	La Yano		38	63	5c	L'allumeuse
19	45	6b	La duchesse		39	64	5c	La réfractaire directe

Ambiance extrême pour Catherine Miquel dans Halloween.

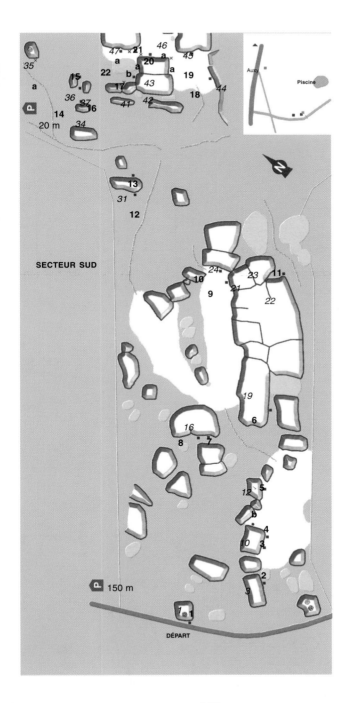

SECTEUR SUD

Piscine

Auxy

DÉPART

20 m

150 m

Ambiance solitude dans les blocs de Boigneville.

uthiers, Malesherbes
hors circuit et hors site

HORS SITE	voie	cotation	nom
	A	7c	Magic Bus
	B1	7a	Attention chef d'œuvre
	B2	8a	Partage
	C	7c	Flagrand désir
	D	8a	Coccinelle *Traversée G>D*
	E	7a	Les monos
	F	7b+	La mygale *Traversée G>D*
	G	7c+	Halloween
	H	8b	Atomic playboy *Traversée G>D*

HORS CIRCUIT	bloc	voie	cotation	nom
	35	a	7b	Traversée D>G
	43	a	7b	Master edge
	43	b	8a	Misanthropie
	45	a	7c	Furyo
	47	a	7b+	L'âge de pierre *Encordé*
	52	a	7a+	Lady big claques
	60	a	7c	Strappal

Exposition universelle

La prise de risque est inhérente à l'escalade de bloc. Dès que l'on quitte le sol, elle prend diverses formes qui vont de l'anodin, dans la plupart des cas, à l'interdiction de tomber. Au Puiselet où furent ouverts, au début des années quatre-vingt, deux circuits et de nombreux passages non fléchés, cette dimension confine souvent au risque maximal. Force est de constater qu'aujourd'hui le site n'est plus au goût du jour et que la nature a repris ses droits recouvrant les blocs de lichens. On peut penser que ce phénomène, lié principalement aux effets de mode, n'est pas irréversible. C'est la raison pour laquelle il ne faut se rendre ici qu'armé de brosses et d'un solide mental. Même avec le développement des matelas de chute, les sensations sont à la hauteur du risque : majeures.

Quelques sites où l'engagement confine parfois à l'exposition :

Le rocher Gréau ; La Padôle ; Les Gros Sablons ; La Dame Jeanne ; La Roche aux Oiseaux.

SECTEUR NORD

ARRIVÉE

P 20 m

Infos pratiques

Ces rubriques sont tout particulièrement destinées aux grimpeurs étrangers à la région parisienne ... ou à la France.

COMMENT Y ALLER ?

● **En voiture**
C'est normalement le plus rapide. Les cartes dont vous disposez dans ce guide vous permettront d'accéder aux différents sites sans difficulté.

Si vous venez de Paris, pensez aux embouteillages le matin entre 7h et 9h et en fin d'après-midi pour le retour.

Il y a des parkings aux abords des sites mais ne laissez rien dans les voitures, les vols sont malheureusement trop fréquents.

● **En train**
C'est possible, mais il faut apprécier la marche à pied. Tous les horaires sont disponibles sur Internet (www.sncf.fr), par téléphone (01 53 90 20 20) ou Minitel (3615 SNCFIDF).

De nombreux trains venant de Paris-Gare de Lyon desservent (en moins d'une heure) les gares les plus pratiques pour aller grimper au cœur du massif.

De la gare de Bois-le-Roi
Vous gagnerez à pied le Rocher Canon (2,5 km), le Rocher Saint-Germain (4,5 km) ou le Cuvier (5 km)...

De la gare de Fontainebleau
On accède aux rochers du Calvaire (2 km mais ça monte), du Mont Aigu (5 km)...

Le plus original (c'est ce que font de nombreux touristes japonais) : vous louez un vélo à la gare (01 64 22 36 14), le tarif est de 120 F par jour pour un VTT, à négocier pour plusieurs jours. Vous vous armez d'une bonne carte IGN (TOP25 n° 2417 OT) et de courage pour rejoindre les rochers

d'Apremont ou du Cuvier par les petites routes de forêt ou les chemins. Comptez environ une heure. Vous pouvez aussi louer un VTT dans le centre de Fontainebleau, à La Petite Reine, 32, rue des Sablons (01 60 74 57 57).

De la gare de Malesherbes
Vous rejoindrez le site de Buthiers, en seulement 2 km.

OU DORMIR ?

La région propose peu de campings. L'un des plus pratique est celui de La Musardière près des Trois Pignons (voir à Milly-la-Forêt) ainsi que celui de Samoreau (voir à Fontainebleau).

Les hôtels sont par contre très nombreux. Nous en citons quelques uns, pas trop chers. Les prix ne sont donnés qu'à titre indicatif.

Vous pouvez aussi louer un gîte (logement rural avec chambres et cuisine équipée) ou une chambre d'hôtes (*bed and breakfast* à la française, environ 250 F pour 2 personnes). Nous mentionnons les plus proches des sites mais vous pourrez obtenir le guide des gîtes et chambres d'hôtes à la Maison des Gîtes de France, 59, rue Saint Lazare, 75439 Paris Cedex 09 (01 49 70 75 75). Un site Internet permet de louer directement un gîte en Seine et Marne : www.tourisme77.net.

N'hésitez pas à réserver, la région est très touristique.

La forêt domaniale dispose de quelques aires de bivouac aménagées (point d'eau mais pas de sanitaire) par l'Office national des forêts : elles sont gratuites mais limitées à deux nuits. Il est préférable de contacter la maison forestière la plus proche pour connaître les disponibilités, l'aire du Cuvier en particulier est saturée certains week-end.

● A Fontainebleau
(Office du tourisme 01 60 74 99 99).
Hôtel Richelieu (4, rue Richelieu, 01 64 22 26 46), chambre à 320 F pour 2 personnes.

Hôtel IBIS (18 rue Ferrare, 01 64 23 45 25), chambre à 385 F pour 2 personnes.

Le camping le plus proche est celui du village de Samoreau (prendre la direction Montereau/Provins) : camping municipal ouvert du 15 mars au 30 octobre (11, rue de l'Eglise, 01 64 23 98 91).

Deux aires de bivouac sont disponibles. La première est située près de l'Hippodrome de la Solle : prendre la N6 de Fontainebleau vers Melun, à environ 3 km, tourner à gauche vers l'hippodrome et faire 500 m, l'aire de bivouac est à gauche. Une seconde se trouve près de Bourron-Marlotte : prendre la direction de ce village par la N7, tourner à gauche vers Thomery à la Croix de Saint-Hérem puis rejoindre la maison forestière de la Grande Vallée par la première route à droite (01 64 45 96 46).

● A Bois-le-Roi
Hôtel Le Pavillon Royal (40, avenue du Général-Gallieni, 01 64 10 41 00), chambres à partir de 295 F (piscine).

Une aire de bivouac est aménagée à la sortie de Bois-le-Roi près de la D138, direction Samoreau, route des Larmières.

● A Barbizon et ses environs
(Office du Tourisme 01 60 66 41 87).
Hôtel L'Auberge des Alouettes (4, rue Antoine Barye, 77630 Barbizon, 01 60 66 41 98) : chambres à partir de 270 F.

Hôtel Campanile (346, rue Capit, 77190 Dammarie Les Lys, 01 64 37 51 51) : chambre à 295 F.

Chambres d'hôtes, chez M. et Mme Bourdin (23, rue de la Mairie,

77930 Cély en Bière,
01 64 38 05 96).

Gite : Saint-Fargeau Ponthierry
(01 60 39 60 39), 2 personnes.

Il y a une aire de bivouac à
proximité du Cuvier (500 m) : elle
est située juste à coté de la
maison forestière du Bas Bréau,
sur la Nationale 7. C'est un
emplacement pour une vingtaine
de personnes, qui ne dispose
d'aucun sanitaire (un seul point
d'eau). Nous vous conseillons de
téléphoner (01 64 37 29 96). La
traversée de la Nationale 7 vers le
village de Barbizon (centre à 1 km)
est dangereuse, soyez prudents.

● A Milly-la-Forêt et ses environs
(Office du Tourisme 01 64 98 83 17).
Hotel Au Colombier (26, avenue de
Ganay, 01 64 98 80 74), chambres
à partir de 145 F.

Gites
— Noisy-sur-Ecole (28 rue d'Auvers,
77123, 01 64 24 54 67) : le Gîte des
Trois Pignons offre 4 chambres,
cuisine, salon et cheminée pour
75 F par personne.
— Moigny-sur-Ecole
(01 64 97 23 81), 7 personnes.
— Le Vaudoué (01 60 39 60 39),
3 personnes.

Chambres d'hôte
— M. Desforges (route de Gironville,
Ferme de la Grande Rouge, 91490
Milly-la-Forêt,
01 64 98 94 21)
— M. Lenoir (9, rue du Souvenir,
91490 Moigny-sur-Ecole,
01 64 98 47 84).
— M. Roulon (10, sentier de la
Grille, 91490 Moigny-sur-Ecole,
01 64 98 49 97).
— Mme Brouard (23, rue d'Auvers,
77123 Noisy-sur-Ecole,
01 64 24 79 12).
— Anne et Patrick Pochon
(9, rue des Saules, Marianval,
77760 Boissy-aux-Cailles,
01 64 24 57 69.

Le camping de la Musardière (Route
des Grandes Vallées, 91490 Milly-la-
Forêt, 01 64 98 91 91) est situé à
1,5 km du parking de la croix Saint-
Jérome (accès au 95.2). Les tarifs
sont de 30 F par personne, 17 F par
voiture et 15 F par tente. Il est

conseillé de réserver pour Pâques
et le mois de mai.

● A Larchant et ses environs (Nemours)
Le Chalet Jobert
(Route de Larchant à Busseau,
01 64 28 16 23) : à quelques
centaines de mètres du célèbre
rocher de la Dame Jeanne, c'est un
hôtel-restaurant très apprécié par
les grimpeurs et cela depuis
plusieurs décennies ! Vous y
trouverez quelques chambres très
simples à 130 F (souvent réservées
par les habitués) et vous pourrez y
faire un repas digne d'un sportif
affamé. L'été, on s'installe dehors
sous la fraîcheur des arbres,
l'hiver c'est autour de la cheminée,
encadrée par les photos des
alpinistes et grimpeurs qui ont
fréquenté ce lieu.

Vous trouverez plusieurs hôtels à
Nemours (Office du Tourisme,
01 64 28 03 95), certains très bon
marché et situés à la sortie de
l'autoroute A6 : Formule 1
(ZA d'Ecuelles, place des Moines,
01 64 29 17 64), Mister Bed (route
des Moines, 01 64 78 06 32).

Il y a de nombreux gîtes à louer
dans les villages autour de
Nemours et à Larchant même.
Ils sont tous gérés par le service
central de réservation des Gites de
France (01 60 39 60 39).

● A Malesherbes et ses environs
Hôtel L'Ecu de France (10, place du
Martroy, 02 38 34 87 25) :
chambres de 140 à 350 F.

Chambres d'hôtes
— Anne et Patrick Pochon (9, rue
des Saules, Marianval, 77760
Boissy-aux-Cailles, 01 64 24 57 69).
— Laurent et Nadine Stelmack
(Mainbervilliers, 77760 Boissy aux
Cailles, 01 64 24 56 77).

Gîtes
La région, très rurale, offre
quelques gîtes, contactez le
service central de réservation
(01 60 39 60 39).

RESTAURANTS, SHOPPING

La région est très touristique, les
restaurants sont nombreux, pour

toutes les bourses et tous les
goûts.

Vous trouverez généralement une
épicerie, une boulangerie dans les
villages ; des pharmacies dans
toutes les villes (et dans certains
villages, Barbizon, Chailly-en-
Bière, Le Vaudoué…). Les
commerces sont ouverts le
dimanche à Barbizon.

Il y a un grand centre commercial
à 5 km du Cuvier (centre
commercial Carrefour, Villiers-en-
Bière, RN7, de Chailly-en-Bière
vers Paris) : magasin Décathlon
(chaussons d'escalade,
magnésie…), restaurants, les
magasins sont fermés le
dimanche.

Le camion-atelier de SOS Escalade
est présent le week-end sur le
parking de La Roche aux Sabots
(Noisy-sur-Ecole – cimetière) :
réparation de chaussons, petit
matériel (résine, magnésie), topos,
crash pads SOS Escalade,
chaussons d'escalade d'occasion,
01 48 53 38 77,
http://www.sosescalade.fr

Les crash pads « TRIPLE PAD »,
conçus par Jo Montchaussé, sont
disponibles à Barbizon : 32, rue
Gabriel-Séailles, 01 60 66 47 78,
http://members.aol.com/innovbbz

A Paris, deux magasins sont
spécialisés dans les sports de
montagne : « Au Vieux Campeur »
(48, rues des Ecoles, 75005 Paris,
01 43 29 12 32) et « Passe
Montagne » (95-102, avenue
Denfert-Rochereau, 75014 Paris,
01 43 22 24 24).

JOURS DE PLUIE, JOURS DE REPOS

Vous pourrez, peut-être, encore
grimper… sur une structure
artificielle (toutes situées près de
Paris) :

— Mur Mur, 55, rue Cartier-Bresson,
93500 Pantin (01 48 46 11 00).
— Antrebloc, 5, rue Henri-Barbusse,
94800 Villejuif (01 47 26 52 44).
— Centre Européen d'Escalade,
3, rue des Alouettes, zone Sénia,
94320 Thiais (01 46 86 38 44).

Et pour les jours de très grande chaleur ou simplement de détente, il y a deux grandes bases de loisirs dans la région (souvent bondées en été) :
– Base de loisirs de Bois-le-Roi (en bordure de Seine, accès en prenant la direction de Fontaine-le-Port, 01 64 81 33 00) : plage, planche à voile, mur d'escalade…
– Base de loisirs de Buthiers, au cœur du massif d'escalade (01 64 24 12 87) : très belle piscine au milieu des rochers, mur d'escalade…

Vous trouverez aussi cinémas et piscines (pratique pour la douche après une nuit de bivouac) à Fontainebleau, Milly-la-Forêt, Nemours…

La forêt offre de très nombreuses randonnées pédestres ou à VTT (voir les guides en bibliographie).

Mais si vous avez des attentes plus culturelles et que vous vous demandez ce qu'est l'Ecole de peinture de Barbizon, allez visiter le musée de l'auberge Ganne. Un diaporama très sympa vous fera découvrir l'histoire de ces peintres (92, rue Grande, 01 60 66 22 27).

Les châteaux de Fontainebleau (01 60 71 50 70) et de Vaux-le-Vicomte, près de Melun (01 64 14 41 90) sont incontournables (1000 bougies éclairent la visite du château de Vaux-le-Vicomte les samedis soir de mai à mi-octobre). Le village de Moret-sur-Loing mérite une balade (il a inspiré le peintre impressionniste Sisley).

A 1 km de Milly-la-Forêt (rue Pasteur, puis fléchage, 01 64 98 83 17), le sculpteur suisse Jean Tinguely a mis 20 ans et 300 tonnes d'acier pour édifier le Cyclop. Témoignage de ce que peut être « la recherche d'un acte gratuit et inutile » : tête démesurée de l'extérieur (22 m, l'escalader ne serait pas une bonne idée !), labyrinthe à l'intérieur, c'est un délire visuel et sonore.

TELEPHONE ET ADRESSES UTILES

En cas d'accident :
– Sapeurs pompiers : 18 (soyez très précis dans la localisation du blessé : site, parking , n° de parcelle, chemin, carrefour…)
– Police-Gendarmerie : 17.

– SAMU (urgence médicale) : 15.

– Office national des forêts (ONF) : 217 bis, rue Grande, 77300 Fontainebleau, 01 60 74 93 50.
– Comité de défense des sites et rochers d'escalade (CO-SI-ROC) : Bâtiment 510, Centre universitaire, 91405 Orsay Cedex, http://www.lps.u-psud.fr/cosiroc
– Fédération française de la montagne et de l'escalade (FFME) : 8-10, quai de la Marne, 75019 Paris, 01 40 18 75 50, http://www.ffme.fr
– Club alpin français (Ile de France) : 24, avenue de Laumière, 75019 Paris, 01 42 02 24 18, http://members.aol.com/cafactiv/escalade/bleau.html
– Météo (Seine et Marne) : 08 36 68 02 77.
– Météo (Essonne) : 08 36 68 02 91.
– Association des amis de la forêt de Fontainebleau (AAFF), 26, rue de la Cloche, BP 14, 77301 Fontainebleau Cedex, 01 64 23 46 45.
– Fédération sportive et gymnique du travail (FSGT), 14-16, rue Scandicci, 93508 Pantin Cedex, 01 49 42 23 19.
– Groupe universitaire de montagne et de ski (GUMS), 53, rue du Moulin-Vert, 75014 Paris, 01 45 43 48 37.

BIBLIOGRAPHIE

• Topos-guides d'escalade
Escalade à Fontainebleau, tome 1 : « Les Trois Pignons », CO-SI-ROC, 1998. Trois autres tomes à paraître.
Bleau, Fontainebleau bouldering, Stephen Gough, 1997, On the edge guidebook.

• Topos-guides de randonnée et VTT
Guide des sentiers de promenade, édité par l'AAFF.
La forêt de Fontainebleau, 33 itinéraires de découvertes, ONF, éditions Ouest France.

Guide VTT Evasion Forêt de Fontainebleau, IGN.

• Ouvrage général
Bleau, la forêt de Fontainebleau et ses rochers, Sylvain Jouty, éditions ACLA, 1982, épuisé, réédition prévue.

• Sur la Toile
Cotations, Bleau de 7 à 8 : http://www.multimania.com/bleauelu.
Photos : http://www.multimania.com/jomontch.

CREDITS PHOTOGRAPHIQUES

Jacky Godoffe : pages 9,10, 11, 12, 13, 17 bas, 18, 20, 21, 23, 25, 27, 30, 33, 44, 54, 56, 59, 61, 65, 67, 70, 71, 73, 74-75, 77, 78, 79, 81, 83, 85, 87, 90, 91, 93, 95, 97, 99, 103 bas, 105, 115, 119, 121, 122, 123, 127, 129, 133, 134, 135, 137, 138, 141, 149, 160, 163, 166, 169 droite, 171, 173, 175, 176, 179, 181, 182, 185, 186, 187, 188, 189, 190, 191, 193, 194, 201 droite, 203, 205, 207, 209, 210, 211, 213, 215, 217, 219 droite, 222-223, 226, 229, 231, 232, 233, 235, 236. Jo Montchaussé : pages 17 haut, 34, 39, 41, 43, 47, 49, 51, 88, 89, 114, 117, 143, 153, 169 gauche, 183, 198, 201 gauche, 219 gauche. Françoise Montchaussé : pages 103 haut, 151. Aurore Godoffe : pages 106, 107.

Imprimé en France par I.M.E 25110 Baume-les-Dames
Dépôt légal: octobre 1999

LISTES GÉNÉRALES

B	bleu
Bc	bleu ciel
Bf	bleu foncé
Bal	bleu baltique
Ou	bleu outremer
Bl	blanc
N	noir
N/Bl	noir et blanc
R	rouge
R/Bl	rouge et blanc
J	jaune
O	orange
S	saumon
Fr	fraise écrasée

Ce répertoire concerne les sites où les blocs ont été numérotés. Les listes sont classées par numéro de bloc. Avec la carte d'un site et la liste correspondante, le lecteur peut faire toutes les recherches possibles.

Bas Cuvier

bloc	voie	circuit	cotation	nom
1	1	R	5c	L'envers du un
1	1	Bl	6c	La Lili
1	2	R	5c	La goulotte sans la goulotte
1	2	B	4c	
1	3	B	5a	Le surplomb N.O.
1	7	O	3b	La voie de l'arbre
1	a	HC	7b	Croix de fer
2	3	R	5c	Le trou du tondu
2	8	O	2b	La dalle du tondu
3	9	O	3b	L'envers du J
6	10	O	3b	L'oreille cassée
7	2	Bl	6a	L'emporte pièce
7	2b	Bl	7c	L'aérodynamite
7	4	R	6a	Le trou du Simon
7	11	O	2b	La dalle de l'élan
8	a	HC	7a	Platinium
9	a	HC	7a	La tonsure
10	1	B	5a	La sans les mains
10	6	O	2b	La sans les mains
10	a	HC	7b	Fluide magéntique
15	17	O	2c	La deux temps
16	17	B	4c	Le K
16	17b	B	5b	Le faux K
16	a	HC	7c	Plats toniques
17	16	O	3a	La tenaille
18	15	O	2c	La proue
20	4	B	5c	Fissure Authenac
20	a	HC	7a+	Le mur du feu *Pierre au départ*
20	b	HC	6c+	
21	26	O	2a	La « trois »
22	12	O	2b	La petite côtelette
23	5	HC	5c	La genouillère
23	5	B	4a	Pilier
23	6	B	4c	Le coq
23	7	B	4c	Le coq droite
23	13	O	2a	La fissure sud du coq
23	14	O	2a	La traversée de la crête du coq
24	10	R	5b	La bijou
24	15	B	4a	L'inexistante
25	3	Bl	6a	Le dernier jeu
25	3b	Bl	6b	La Ravensbruck
25	24	O	4a	Le tire bras
26	8	B	4a	La poule
26	25	O	3a	Le mur aux fênes
26	a	HC	7c	Photo sensible *Traversée D>G*
27	6	R	5c	La gugusse
27	7	R	5c	Les frites
27	8	R	5b	La vire Authenac
31	27	O	3a	Le petit surplomb
33	a1	HC	8b	Encore *Obsession + Biceps dur*
33	a2	HC	7c+	Obsession *Traversée G>D*
33	b	HC	7b	Pince mi
33	c	HC	7b+	Vers Nulle part
33	d	HC	7b+	Vers Claire *7c départ assis*
33	e	HC	7b	Biceps mou
33	f	HC	7c+	Biceps dur *Traversée D>G*
33	g	HC	7a	Holey Moley
34	a	HC	7c	La Gaulle *Départ assis*
40	4	Bl	6c	La charcuterie
40	4b	Bl	7b	L'angle incarné
40	5	Bl	7a	La boucherie
40	9	B	4c	Le tuyau Morin
40	10	B	4c	La solitaire
40	13	B	5a	Le surplomb du réveil matin
40	28	O	3a	La rigole ouest de la solitude
40	a	HC	7c	Infidèle
40	b	HC	7c	Hypothèse
40	c	HC	7c+	Antithèse
40	d	HC	7a	Araignée
40	e	HC	7a	Le picon bière
40	f	HC	8b	Mouvement perpétuel *Traversée boucle par l'araignée D>G*
41	6	Bl	6c	La défroquée
41	9	R	6c+	La daubé
41	14	B	4c	Fissure Morin
41	a	HC	7a	Cortomaltèse
44	6b	Bl	7a	L'abattoir
44	6t	Bl	7b+	Le carnage
44	6q	Bl	7c	L'abbé Résina
44	a	HC	6c+	Coton tige
44	b		HC7c/7c+	Balance *Dépend de la méthode utilisée*
44	c	HC	7a	Hélicoptère
44	d	HC	7c+	Apothéose
45	11	B	4c	Les grattons Morin
45	12	B	4c	La dalle du réveil matin
45	30	O	2c	La fissure des enfants
45	a	HC	7a	
48	29	O	2b	La delta
51	31	O	2a	La grenouille

bloc	voie	circuit	cotation	nom	bloc	voie	circuit	cotation	nom	bloc	voie	circuit	cotation	nom
54	a	HC	6c	Béatrice	85	40	R	5b	L'orientale	101	18	R	5c	La parallèle
54	b	HC	6b	Sanguine	85	a	HC	7b+	Banlieue nord *Traversée G>D*	101	19	R	5c	La Leininger
54	c	HC	7c+	Raideur digeste	86	1	O	2b	Le petit rétab	101	20	R	6a	La Suzanne
60	20	O	2a	La fissure est de la gamelle	87	11b	Bl	6c	La tour de Pise	101	38	B	5c	Le jus d'orange
61	21	O	2c	La traversée du bock	87	19	B	4c	La dalle de la rouge	101	39	B	5c	La Porthos
62	11	R	5c	Le ligament gauche	87	20	B	5b	La Borniol	101	a	HC	8a	Golden feet
62	16	B	5a	Faux ligament	87	a	HC	7b	Tour de pise directe	101	b	HC	7c+	Lune de fiel
63	3b	B	4c	La demi dalle	90	15	Bl	6b	La stalingrad	102	14	R	6b	Les bretelles
65	22	O	2c	La petit angle	90	16	Bl	6c	La chalumeuse	102	15	R	5b	L'Authenac
67	23	O	2c	Le muret	90	17	Bl	7b+	La super Prestat	102	16	R	5b	La V1
70	19	O	2b	La dalle du pape	90	27	R	5b	Le quartier d'orange	102	17	R	5c	La traversée Authenac
71	7	Bl	6b	La résistante	90	32	R	5c	La dalle du baquet	102	34	O	4a	La jarretelle
71	8	Bl	6c	La forge	90	44	B	5a	La nationale	102	37	B	5c	L'angle Authenac
71	25	B	5a	Le dernier des six	90	48	B	4c	La Paillon directe	102	a	HC	7a	La Cinzano
71	36	R	6a	Le soufflet	90	50	O	3c	La Prestat *Arrivée*	103	26	B	4b	L'angle olive
71	a	HC	7a	La bouiffe	90	a	HC	7c	L'ange gardien	103	27	B	4c	La dalle olive
73	9	Bl	6b	La folle	90	b	HC	6c	L'angle	103	33	O	3a	La traversée de la dalle des flics
73	9b	Bl	6b	L'enclume	91	30	R	6a	La Couppel	103	a	HC	7b	Alter mégot
73	9t	Bl	7a	La rhume folle	91	31	R	6a	Les grattons du baquet	104	29	B	5c	La dalle d'ardoise
73	23	B	5b	Le coup	91	47	B	5b	Le baquet normal	104	35	O	2b	Le zéro sup
73	a	HC	7a+	Fruits de la passion	92	28	R	5a	La Nasser	105	30	B	4c	Le 7 sup
74	24	B	5a	La nouvelle	92	29	R	5b	Le réveil matin	105	36	O	2c	Le boulot
74	35	R	5b	Les esgourdes	92	45	B	4c	La fissure de la lionne	107	12	R	5b	La dalle au trou
74	37	R	5c	Le coup de rouge	92	46	B	5a	Les grattons du réveil-matin	107	13	R	5c	La voie de la vire
74	a	HC	8a	Digitale	92	49	O	2c	L'envers du réveil matin	107	28	B	5c	La baquet
75	18	O	2a	La voie bidon	93	33	R	5c	La dalle au chocolat	107	32	O	3b	La dalle aux trous
76	10	Bl	7a	La vie d'ange	94	34	R	5b	La côtelette	107	a	HC	8a+	Coup de feel *Ne passe plus, la prise clé a cassé*
76	10b	Bl	6b	La dix tractions	95	23	R	5b	La bizuth	110	48	O	2c	L'envers de pascal
76	18	B	5b	Le fantôme	95	26	R	5c	L'huitre	112	47	O	3c	Le petit mur
76	39	R	5c	La clavicule	95	a	HC	7c+	L'idiot	114	46	O	3b	La déviation
76	41	R	5c	L'ectoplasme	96	13	Bl	7a	La joker	115	45	O	2c	La verte
76	a	HC	7b	Kilo de beurre *Traversée G>D*	96	14	Bl	6c	Le 4ème angle	121	44	O	2b	Les lichens
76	b	HC	7c	Murmure	96	22	R	6a	La Marie Rose *Le premier 6a de Bleau*	122	35	B	5a	Le surplomb du doigt
77	11	Bl	6c+	La clé	96	24	R	5c	La troisième arête	122	36	B	4c	Le dièdre du doigt
77	22	B	5b	La fissure	96	40	B	5b		122	43	O	3c	La traversée du doigt
77	38	R	5c	La bicolore	96	42	B	5b	La face nord	123	40	O	1c	Le coin du 5
77	a	HC	7a	la clé de droite	96	43	B	4c	Le bidule	123	42	O	2c	Les pinces
77	b	HC	7a+	Casse tête	96	a	HC	7b	Cornemuse	124	41	O	2b	Les lunettes
80	5	O	2c	Le onzième trou	96	b	HC	7c	Le joueur	126	32	B	5b	La dalle au pernod
80	a	HC	7b	Technogratt'	97	25	R	5c	L'angle rond	126	39	O	3c	La dalle du 106
81	4	O	3a	Le second rétab	97	41	B	5b	L'Innominata	127	33	B	5b	La dévissante
82	3	O	3a	L'envers des trois	100	0	O	2a	La fissure de la place du Cuvier *Départ*	127	34	B	5c	Les tripes
82	a	HC	7a	l'aconqueàdoigt	100	12	Bl	6c	La chicorée	127	38	O	3a	Les tripes
83	2	O	2c	La fissure de l'auto	100	21	R	6a	La nescafé	128	31	B	3b	La dalle au demi
84	42	R	6a	La fauchée	100	a	HC	6b+	La Marco	128	37	O	2b	La dalle aux demis
84	a	HC	7b	Dalle siamoise *Variante droite*										
85	21	B	4c	Le vide ordure										

Apremont Bisons

page 58

bloc	voie	circuit	cotation	nom	bloc	voie	circuit	cotation	nom	bloc	voie	circuit	cotation	nom
1	1	O	3c		6	7b	O	3a		9	13	O	3a	
2	1	R	4b	*Variante 3b*	6	7t	O	4b		10	9	R	5a	
2	2	O	3c		7	8	O	2b		10	9b	R	5a	
3	3	R	4b		7	9	O	3b		10	10	R	4c	
3	3	O	3a	*Variante 3b*	8	5	R	4c	*Variante 6a*	10	14	O	2c	
4	2	R	5a	*Jeté*	8	10	O	4c		10	14b	O	3c	
4	2b	R	5b+		8	10b	O	3c		11	11	R	5b	
4	4	O	4a	*Variante 3c*	8	11	O	3c		12	15	O	4c	
4	5	O	2c		9	6	R	5a		13	16	O	3a	
5	4	R	4c		9	7	R	4c		14	17	O	3c	
5	6	O	3b		9	8	R	4a		15	26	O	3a	
6	7	O	3c		9	12	O	3b		15	26b	O	3c	

II

bloc	voie	circuit	cotation	nom
16	12	R	4c	
16	13	R	5a	Variante travers. G>D 6a
16	24	O	4b+	
16	24b	O	2c	
16	25	O	3a	
17	14	R	4c	
17	23	O	2c	
18	18	O	3c	
19	15	R	5c	
19	22	O	3b	
19	22b	O	3c	
20	21	O	3a	
21	19	O	4a	
22	20	O	4a	
23	17	R	4a	
24	18	R	5a	
24	18b	R	5c	
24	19	R	4b	
25	28	R	4c	
26	20	R	4a	
27	21	R	4b	Variante 5a
28	22	R	4b	
29	23	R	4b	
30	25	R	4c	
31	24	R	4a	
32	26	R	4c	
33	27	R	5b	
34	16	R	5c	
35	32	O	4b	Variante 4c
36	31	O	3c	
37	27	O	3c	
38	28	O	4c	
39	29	O	3a	
39	30	O	3c	
40	37b	R	4c	
40	48	O	3a	
41	33	O	4a	
41	37	R	3c	
42	36	R	4b	
43	36	O	3a	
44	35	O	3b	
45	34	O	4a	
46	29	R	4c	
47	37	O	3b	Variante 4a
48	43	O	2b	
49	32	R	4b	
49	42	O	4a	Variante 3c
49	44	O	3b	
50	31	R	4b	
51	30	R	6a	
51	33	R	4b	
51	40	O	3b	Variante 4b
51	41	O	2c	
52	38	O	3c	Variante 4a
52	39	O	2c	
53	45	O	3c	
54	34	R	3c	
54	46	O	4a	
55	35	R	5b	
55	47	O	3b	
56	38	R	5b	
56	38b	R	5b	
57	39	R	4a	Variante 4c
58	40	R	5b	
58	41	R	5a	
58	41b	R	5a	
59	42	R	5b	
60	43	R	5a	

Les Gorges d'Apremont

page 35

bloc	voie	circuit	cotation	nom
				ZONE A
1	1	R/Bl	5c	Départ
1	2	R/Bl	6a	
1	57	S	4c	
2	3	R/Bl	6a	
2	4	R/Bl	5c	
2	56	S	5a	
2	a	HC	7a+	
3	5	R/Bl	5c	
3	54	S	4a	
3	55	S	5b	
4	6	R/Bl	5b	
5	53	S	4a	
6	7	R/Bl	5b	
6	8	R/Bl	5c	
7	9	R/Bl	5c	
8	10	R/Bl	5c	
9	11	R/Bl	5c	
9	12	R/Bl	5b	
9	52	S	4a	
10	13	R/Bl	5c	
10	13b	R/Bl	5c	
11	15	R/Bl	5c	
12	14	R/Bl	5b	
13	17	R/Bl	5b	
13	51	S	4c	
13	a	HC	7a	Super Stalingrad
13	b	HC	7a	Tendance de droite
14	a	HC	7c+	Jolie Môme
15	18	R/Bl	5b	
15	19	R/Bl	5b	
16	16	R/Bl	5b	
19	a	HC	7a	Hiéroglyphe
20	a	HC	7c+	Jolie Môme
21	20	R/Bl	5b	
22	50	S	4a	
24	21	R/Bl	5b	
25	22	R/Bl	5c	
26	23	R/Bl	5b	
27	24	R/Bl	5c	
28	25	R/Bl	5c	
28	26	R/Bl	5c	
29	27	R/Bl	5b	
31	a	HC	7a	
32	28	R/Bl	5c	
33	29	R/Bl	5b	
33	30	R/Bl	5c	
34	31	R/Bl	5a	
34	32	R/Bl	5c	
35	33	R/Bl	5a	
37	34	R/Bl	5a	
38	40	R/Bl	5c	Arrivée
40	39	R/Bl	5b	
40	35	R/Bl	5b	
40	36	R/Bl	5c	
41	38	R/Bl	5b	
42	37	R/Bl	4c	
				ZONE B
1	1	Ou	4a	
2	2	Ou	3b	
3	3	Ou	4b	
3	4	Ou	3b	
4	5	Ou	3c	
5	6	Ou	4b	
6	7	Ou	4a	
7	8	Ou	3c	
8	73	S	4b	
9	9	Ou	3c	
9	74	S	4c	Arrivée
10	10	Ou	3c	
11	11	Ou	3c	
12	13	Ou	4c	
12	72	S	5a	
13	12	Ou	4b	
13	71	S	5a	
14	40	J	3a	
14	14	Ou	4b	
16	9	Bc	5b	La pavane
16	15	Ou	3c	
17	10	Bc	4c	Le sabre
17	11	Bc	4c	Le goupillon
17	17	Ou	3c	
18	12	Bc	6c	Le mur des lamentations
18	18	Ou	3c	
19	19	Ou	4a	
18	42	J	2c	Arrivée
19	41	J	2c	
19	a	HC	7a	Clin d'œil
20	22	Ou	4b	
21	16	Ou	4c	
21	23	Ou	3c	
21	69	S	4c	
21	70	S	4c	
21	a	HC	7c+	Koala Exposé
22	20	Ou	4a	
22	67	S	5a	
22	68	S	4c	
22	a	HC	6c	
22	b	HC	6c	
22	c	HC	6c	Traversée D>G 7a
22	d	HC	6b	
23	21	Ou	4c	
24	24	Ou	3c	
25	8	Bc	6a	L'empire des sens
25	25	Ou	4b	

bloc	voie	circuit	cotation	nom
25	64	S	4c	
26	7	Bc	6a	Le gibbon
26	26	Ou	4c	
27	63	S	4b	
28	62	S	4b	
29	6	Bc	7a	Le toit tranquille
30	60	S	4b	
30	61	S	5b	
31	a	HC	7b	Faux contact
32	27	Ou	3c	
33	28	Ou	4a	
33	66	S	5c	
34	4	Bc	4b	L'effet yau de poele
34	5	Bc	4a	La bagatelle
34	29	Ou	3c	
35	4b	Bc	5c	
35	4t	Bc	5c	
36	3	Bc	5a	L'anti gros
37	30	Ou	3c	
38	31	Ou	4a	
38	65	S	5b	
40	59	S	4c	
41	58	S	4a	
42	49	S	4c	
43	33	Ou	4b	
44	2	Bc	5c	L'esprit du continent
44	2b	Bc	6c	Le poulpiquet
44	32	Ou	4b	
44	34	Ou	4b	
45	35	Ou	4c	
46	36	Ou	4c	
47	1	Bc	5c	
47	37	Ou	3c	
47	37b	Ou	4b	
47	48	S	5c	
47	a	HC	7b	Une idée en l'air
49	0	Bc	5c	Le croque mitaine
49	a	HC	7b+	Le marginal
50	38	Ou	4c	
51	39	Ou	3c	
52	40	Ou	3b	
53	41	Ou	4b	
54	42	Ou	4a	
55	43	Ou	4b	
55	44	Ou	4a	Arrivée
56	47	S	5c	
57	45	S	4a	
58	46	S	3c	
59	44	S	5a	
60	43	S	5c	
61	42	S	4a	
62	41	S	4b	
63	40	S	4a	
64	38	S	4c	
64	39	S	4a	
65	37	S	5a	
66	36	S	4a	
67	35	S	4a	

ZONE C

bloc	voie	circuit	cotation	nom
3	1	J	2b	Départ
4	2	J	2b	
5	3	J	2a	
6	4	J	2a	
7	5	J	2b	
8	6	J	2a	
9	7	J	2b	
10	8	J	3a	
11	9	J	3c	
12	10	J	2b	
12	13	J	2b	
13	11	J	2b	
14	12	J	2b	
15	14	J	2c	
16	15	J	3b	
17	16	J	2a	
18	17	J	2c	
19	18	J	2a	
19	19	J	3a	
20	20	J	3c	
21	21	J	3a	
22	22	J	3a	
23	5	R	5a	La traversée de la fosse aux ours
24	23	J	2b	
25	24	J	2c	
26	25	J	2a	
27	7	S	5a	
27	26	J	2c	
28	27	J	2c	
28	28	J	2b	
29	6	S	4c	
30	29	J	2a	
31	30	J	3a	
31	31	J	2a	
32	32	J	2c	
33	14	Bc	5c	L'ostétoscope
33	33	J	2c	
34	5	S	3c	
34	34	J	2c	
34	a	HC	6b	Traversée
35	35	J	2c	
36	4	S	4a	
36	36	J	2c	
37	3	S	4a	
39	2	S	4a	
40	13	Bc	5a	Le rince dalle
40	37	J	2c	
41	38	J	2c	
41	a	HC	6c+	Egoïste Départ assis 7a+
42	1	S	5c	Départ
42	39	J	2a	
43	1b	Ou	5b	
50	2	R	5b	La sans l'arête
50	3	R	5a	Les trois petits tours
50	4	R	6a	Le piano à queue
51	1	R	5c	Départ
52	3	N/B	6b	La croix et la bannière
52	6	R	5c	Le trompe l'oeil
53	9	S	5c	
54	10	S	4c	
55	8	S	5a	
56	11	S	5b	
58	12	S	4a	
58	a	HC	6b	Traversée D>G
59	17	Bc	4c	L'across en l'air
60	a	HC	6a	Surplomb
61	2b	N/B	7a	Médaille en chocolat
61	13	S	4c	
62	1	N/B	7a	L'hyper plomb
62	7	R	6a	Les crampes à Mémère
62	7b	R	6a	
62	18	Bc	5a	L'astrolabe
63	2	N/B	7a	La dalle du dromadaire
63	7t	R	5c	
63	14	S	4c	
64	4	N/B	6a	La dalle du toboggan

bloc	voie	circuit	cotation	nom
64	8	R	5b	Le triste portique
64	15	S	5b	
65	20	Bc	4c	La lanterne
65	21	Bc	5b	Le pont Mirabeau
66	19	Bc	5a	La vessie
67	9	R	5b	Le toboggan
67	10	R	5b	Le vieil os
67	16	S	4a	
68	11	R	6a	Les yeux
69	12	R	5c	Le château de sable
70	17	S	5b	
70	22	Bc	5b	La super simca
71	13	R	5c	La durandal
71	18	S	4c	
72	14	R	5c	La rampe
74	5	N/B	6c	L'ébréchée
74	15	R	5c	Le marchepied
74	23	Bc	6a	Ignès
75	18	R	5b	Le bonheur des dames
76	16	R	5b	La longue marche
78	6	N/B	6c	La ténébrante
79	17	R	5c	Le bouleau
79	19	S	5a	
80	29b	R	6a	Les chiures
80	31	R	5a	La que faire
81	20	S	6a	
81	24	O	3b	
81	30	R	5c	La valse
82	25	O	3c	
82	28b	R	6a	Les fausses inversées
82	28	O	3b	Arrivée
82	29	R	5c	L'ancien
83	24	Bc	5c	La salamandre
83	25	R	5c	La vie lente
83	27	R	5a	Le pilier
83	28	R	6a	La conque
83	a	HC	7a+	Dalle d'Alain
84	27	O	3c	
84	a	HC	7a+	Futur antérieur
85	19	R	5b	La freudienne
86	26	Bc	5c	La muse hermétique
87	26	R	5b	La claque
87	26	O	4c	
88	21	S	5a	
89	24	R	6b	Les verrues
89	a	HC	7b	Coup de cœur
90	25	R	5a	Le réta gras
90	28	Bc	5b	Icare
90	28b	Bc	5c	
92	20	R	5a	Le coin pipi
92	27	Bc	5c	L'angle obtus
93	22	S	5b	
94	7	N/B	6c	L'oeuf
94	21	R	5a	L'angulaire
94	23	S	5a	
95	22	R	5b	Le baiser vertical
101	17	O	3c	
103	38	S	5c	La râpe grasse
104	13	N/B	6c	La tarentule
104	18	O	4b	
104	28b	S	5c	
105	12	N/B	6c	L'arc d'Héraclès
106	37	R	5c	Le médius
107	11	N/B	6c	Le fruit défendu
108	15	Bc	5c	Les fesses à Simon
108	27	S	5a	
108	34	R	5c	La science friction
110	28	S	4c	
110	35	R	5c	La pilier japonais

I V

bloc	voie	circuit	cotation	nom
110	36	R	6a	La Ko-Kutsu
111		a	HC	7b+
Tarpé diem				
112	10	N/B	6c+	La lune
112	16	Bc	5b	La michodière
112	26	S	5b	
113	a	HC	7c	Travers D *Traversée G>D*
115	19	O	2b	
116	1	Bal	4c	*Départ*
118	9	N/B	7a+	Le treizième travail *Variante directe 7c+*
118	9b	N/B	7a+	Fleur de rhum
118	24	S	6a	La balafre
118	31b	Bc	5b	Le surplomb de l'avocat
118	32	Bc	5b	La mélodie juste
118	32b	Bc	6c	Le soupir
119	21	O	3c	
119	32	R	6b	La psycho
119	33	Bc	5b	Le piano vache
120	20	O	4b	
120	a	HC	7a+	Arrête
120	b	HC	7c+	Remaniement *Eliminante*
121	23	O	2b	
121	35	Bc	6a	La sortie des artistes
122	34	Bc	5c	Le surplomb à coulisses
123	8	N/B	6c	La conque
123	22	O	3a	
131	33	R	5c	Le doigté
132	25	S	6a	
149			3b	*Départ*
150	1	O	4a	
150	39	R	6a	L'anglomanique
150	40	R	5c	Le grand pilier
151	2	O	3c	
152	7	Bal	4a	
152	29	S	5c	
152	41	R	6a	L'arrache bourse
152	a	HC	7b	
153	5	Bal	4c	
153	30	S	5b	
153	31	Bc	5a	La clepsydre
153	a	HC	6c	
154	3	O	3b	
154	8	Bal	4b	
154	a	HC	7a	
155	9	Bal	4b	
155	10	Bal	6a	
156	4	O	3b	
156	6	Bal	4b	
156	a	HC	7b	Onde de choc

bloc	voie	circuit	cotation	nom
157	16	O	4b	
158	2	Bal	4b	
159	3	Bal	4a	
160	4	Bal	4a	
160	5	O	3b	
160	6	O	3b	
160	11	Bal	5a	
160	29b	Bc	5b	L'adieu aux armes
160	42	R	5c	L'alternative
161	7	O	4b	
161	12	Bal	4a	
161	30	Bc	5b	La gnose
161	a	HC	8b	L'alchimiste *La prise clé a cassé*
162	8	O	3a	
162	13	Bal	4b	
162	a	HC	7b+	
163	43	R	5a	La dalle à dame
164	14	Bal	3c	
164	16	Bal	4b	
165	15	Bal	4c	
165	31	S	5a	
166	9	O	3b	
166	29	Bc	5b	Le merle noir
166	44	R	5a	Le cube
168	10	O	4c	
168	17	O	4c	
168	18	Bal	4b	
169	11	O	3a	
169	19	Bal	4a	
170	12	O	3c	
170	20	Bal	4c	
171	23	R	5b	Le dièdre gris
173	14	N/B	6c	Les lames
173	15	O	4a	
173	33	S	5c	
174	13	O	3a	
175	45	R	5b	La croix
176	14	O	3b	
176	22	Bal	4b	
176	32	S	4a	
177	21	Bal	5a	
178	23	Bal	4b	
179	34	S	4a	
180	46	R	5b	La John Gill
181	24	Bal	5a	
182	24b	Bal	4c	
183	25	Bal	3c	
184	26	Bal	4b	
185	27	Bal	4b	
186	28	Bal	4b	
187	29	Bal	5b	

bloc	voie	circuit	cotation	nom
188	31	Bal	4c	
189	30	Bal	3c	
189	32	Bal	4b	
190	33	Bal	4b	
190	34	Bal	4b	
190	35	Bal	4a	
191	36	Bal	4a	
192	37	Bal	4c	
193	38b	Bal	4c	
194	38	Bal	3c	
195	39	Bal	4c	
				ZONE D
1	1b	Fr	4a	
2	2	Fr	3c	
3	3b	Fr	4a	
4	3	Fr	4a	
5	4	Fr	4a	
6	5	Fr	4c	
7	7	Fr	4a	
8	6	Fr	4b	
9	8	Fr	5a	
9	8b	Fr	4c	
9	8t	Fr	4c	
10	9	Fr	4a	
11	10	Fr	5c	
12	11	Fr	5b	
13	12	Fr	4a	
14	13	Fr	4a	
15	14	Fr	4b	
16	15	Fr	4a	
17	16	Fr	4b	
18	17	Fr	4c	
19	18	Fr	4b	
20	19	Fr	4a	
21	20	Fr	5b	
22	21	Fr	4b	
23	22	Fr	4a	
24	23	Fr	4b	
25	24	Fr	3c	
26	25	Fr	5b	
27	26b	Fr	6a	
28	26	Fr	4c	
29	27	Fr	4b	
30	28	Fr	4b	
31	29	Fr	4c	
32	a	HC	6c	Quiproquo
33	a	HC		*projet*
188	30	Fr	4b	
190	32	Fr	5b	Le phallus
191	31	Fr	5a	L'ante phallus

Franchard Isatis

bloc	voie	circuit	cotation	nom
1	1	R	4c	Départ
1	1	Bl	6b	L'amoche doigt
1	2	R	5b	
1	6	B	3c	
1	a	HC	7b+	Surprise
1	b	HC	7a	
2	5	B	4b	
3	1	B	3b	Départ
3	3	R	5b	

bloc	voie	circuit	cotation	nom
4	2	B	3a	
4	2	Bl	5b	
4	3	Bl	5a	
4	4	R	4c	
4	4	Bl	6c	Composition des forces
4	5	R	5a	
4	6	R	4b	
4	6	Bl	5b	

bloc	voie	circuit	cotation	nom
4	7	R	4c	
4	8	Bl	6a	
4	a	HC	7b+	L'intégrale *Traversée*
4	b	HC	7a+	Couenne de merde
5	5	Bl	5b	
5	7	Bl	5b	
5	9	Bl	5c	Le coup de pompe
5	a	HC	7c	Super joker
6	9	R	5b	

V

bloc	voie	circuit	cotation	nom
6	10	R	5b	
6	12	Bl	5b	
6	13	Bl	5b	
6	14	Bl	5c	
6	a	HC	7c	Gnossienne
6	b	HC	7b+	Le mur des lamentations
6	c	HC	7c	Gymnopédie
7	3	B	3c	
7	4	B	3c	
7	8	B	5b	
7	10	Bl	6a	Le statique
7	11	R	4b	
7	11	Bl	6b	
7	15	Bl	5b	
7	a	HC	7a	
7	b	HC	7a	
7	c	HC	7a	
8	7	B	3c	
9	8	B	5b	
9	12	R	5a	
9	13	R	5a	
9	14	R	5b	
9	15	R	5a	
9	16	R	5a	
9	18	Bl	6b	La zip zut
9	19	Bl	6b	L'envie des bêtes
9	a	HC	6c+	
11	9	B	5a	
11	17	R	5a	
11	18	R	4b	
11	a	HC	6c	
12	10	B	4a	
13	19	R	4c	
13	20	R	4b	
13	a	HC	7c+	Le vin aigre *Morpho*
14	11	B	3b	
14	17	Bl	5b	
14	21	B	4c	
15	16	Bl	6a+	Beurre marga
15	a	HC	6c	Les troubadours
20	20	B	3a	
21	21	B	4a	
21	a	HC	6b+	
22	17	B	3a	
22	26	R	4c	
23	19	B	3b	
23	20	Bl	6b	La planquée
23	21	Bl	5c	
23	22	Bl	5c	
24	18	B	3b	
24	22	B	4b	
24	23	Bl	5c	
24	24	Bl	6a	
24	25	Bl	5c	
24	27	R	4c	
24	28	R	5c	
24	29	R	5c	
26	24	B	4a	
27	23	B	3c	
30	26	Bl	5a	
30	a	HC	7a+	
31	16	B	3b	
31	25	R	4b	
31	27	B	6a	
32	15	B	3a	
33	14	R	5a	
33	23	R	4c	
33	24	R	5b	
33	28	Bl	6a	
33	29	Bl	5b	
34	13	B	5c	
35	12	B	4a	
35	22	R	5a	
37	25	B	3c	
37	26	B	3c	
38	27	B	2c	
39	28	B	4b	
39	28b	B	5a	
39	30	R	5b	
39	30	Bl	5b	
40	29	B	3a	
41	35	B	4c	
43	31	Bl	6b	
43	32	Bl	6a	
43	34	B	4c	
43	a	HC	6c	
43	b	HC	7c	Alta
43	c	HC	8b	Enigma
44	30	B	3b	
44	31	R	5b	
44	32	R	5a	
44	33	R	5b	
44	33	Bl	5a	
44	34	Bl	5c	
44	35	Bl	6a	
44	36	Bl	6b	
45	34	R	5c	
46	31	B	5b	
46	35	R	4c	
46	37	Bl	6a	
48	37	R	4b	
48	38	R	5b	
48	38	Bl	6a	
48	39	Bl	6a	
49	33	B	3c	
49	36	R	6a	
50	42	Bl	5b	
51	32	B	3b	
51	32 b	B	3c	
51	40	Bl	6b	
51	41	Bl	6a	
51	a	HC	7a	
52	36	B	4c	
53	39	B	3c	
54	38	B	3c	
55	37	B	4b	
56	40	B	3c	
58	41	B	4a	
59	42	B	4b	
59	a	HC	7a+	El poussif
61	a	HC	7a	El poussah
70	43	B	3b	
70	44	B	4a	
72	41	R	4c	
72	42	R	5b	
72	44	Bl	5b	
72	45	B	3b	
72	45b	B	3a	
72	46	B	4a	
73	43	R	4c	
73	44	R	4b	
73	47	B	5c	
73	a	HC	6b	
73	b	HC	?	*Projet*
73	c	HC	7b	La Memel
74	45	R	4c	
74	45	Bl	5b	
74	46	Bl	6c	Le Cervin
74	47	Bl	5b	La patinoire
74	48	B	3b	
75	46	R	5b	
75	47	R	5b	La bissouflante
75	48	Bl	6c	
75	49	B	4a	*Arrivée*
75	49	Bl	6a	
77	40	R	5b	
79	43	Bl	6a	
80	50	Bl	6b	
80	a	HC	7c	L'arrache cœur
100	48	R	4a	
101	49	R	5a	
102	50	R	5a	
102	a	HC	8a	Iceberg
103	53	R	5a	
103	54	R	5a	
104	51	R	5a	
104	52	R	4c	
104	55	R	4c	
105	56	R	4c	
106	57	R	4c	
107	58	R	4c	
107	59	R	5b	
107	60	R	5b	
108	62	R	5b	*Arrivée*
109	61	R	4c	

Franchard Sablons

page 73

bloc	voie	circuit	cotation	nom
1	1	B	3b	L'accueil tranquille
1	1	R	5c	L'accroche doigt
1	2	B	4a	
2	2	R	5b	La réticence
2	3	B	4c	La verdâtre
2	3 b	B	3c	
3	3	R	5b	Le passe plat
3	4	B	4b	L'oiseau B
3	4 b	B	4a	
3	4	R	5b	La promptitude
3	a	HC	6c	Dos d'âne
3	b	HC	6c	Le fer à repasser
4	5	B	4b	Le 4x4
4	5	R	5c	La dérobade
4	6	R	5c	Morsure aux doigts
4	a	HC	7b+	Traînée de poudre *Traversée G>D, sortie goulotte*
4	b	HC	7c+	Fragment d'hébétude *Traversée D>G, sortie 5 R*

bloc	voie	circuit	cotation	nom
5	6	B	4a	La voie du gynécologue
6	a	HC	6c+	Gros tambour *Traversée G>D*
7	7	B	4b	L'ascenseur
7	a	HC	7a+	Canyon *Traversée G>D*
8	8	B	4b	Le gros bidon
9	9	B	4b	Le bloc du forestier
11	10	B	4c	L'équilibriste
12	7	R	5c	Les racines
12	12	B	4b	La montagne russe
12	12b	B	4c	La Migouze
12	13	B	5a	Une voie d'orange.S.
13	8	R	5b	Saccage au burin
13	14	B	4b	Les fourmis vertes
14	9	B	5b	Le chien assis
14	16	B	4a	
14	a	HC	7a	Peine forte *Traversée G>D, prolongée 7b+*
15	15	B	4a	L'enchaînement
18	17	B	4c	L'élégante
18	a	HC	7a	Duralex
19	12	R	5a	Le nez
19	19	B	3b/5c	Le trou morpho

bloc	voie	circuit	cotation	nom
19	a	HC	7b+	Modulor
20	11	R	5b	La traversée
20	18	B	4a	
21	10	R	5b	L'arête du poisson
21	11	B	3c	L'amanite vaginée
21	11b	B	4c	
22	20	B	4b	Le bon point à Danièle
23	13	R	4c	L'accalmie
24	21	B	3a	La médaillon
25	14	B	4b	Mise en train
26	16	R	6a	La dalle à Clément
26	22	B	5a	La grat'à Marc
26	a	HC	7b	Jokavi *Jeté*
26	b	HC	7a	La vérité
27	23	B	4b	
28	a	HC	6b	Sale affaire
29	24	B	4c	
30	17	R	4b	Orgasme
31	18	R	4a	La dalle bleue
31	19	R	5c	Prise de tête
31	25	B	4a	La Gillette
31	25b	B	3a	La débonnaire

bloc	voie	circuit	cotation	nom
31	25t	B	3c	La Gillette bleue
31	a	HC	7a+	Talons aiguilles
32	26	B	4a	L'anonymat
34	27	B	4a	L'arraché
35	28	B	3c	
36	29	B	4b	
37	30	B	4c	
38	31	B	4b	La réserve du Président
39	32	B	3c	Le rouleau californien
40	20	R	6a	Dalle funéraire
41	33	B	4a	La soucoupe volante
42	34	B	4a	L'arête vive
44	35	B	4a	
45	37	B	3a	La Fonta stick
46	36	B	4b	
47	38	B	3c	
48	39	B	4a	
49	40	B	4b	La multiprise
50	15	R	5a	Coup de canon *Prolongée 6a*
A	B		7a	Voltane *En traversée, 8a*

Franchard Cuisinière

page 78

bloc	voie	circuit	cotation	nom
1	1	Bl	5c	Départ
2	2	Bl	4b	
3	a	HC	7c+	Coté cœur
4	1	R	4b	Départ
4	2	Bl	4c	
4	3	Bl	4c	
4	3b	Bl	5a	
7	6	Bl	6a	
8	7	Bl	4b	
8	a	HC	7a	
8	b	HC	6c	
8	c	HC	6a	
9	a	HC	7b	Alaxis
10	a	HC	8a	The beast *Traversée*
13	a	HC	6b	
13	b	HC	6c	
14	a	HC	7c	La jouissance du massétar
16	3	R	4c	
16	4	R	4c	
16	4	Bl	5b	Le hareng saur
16	5	Bl	5c	
16	a	HC	7c+	Les yeux pour pleurer
17	5	R	6a	
18	8	Bl	5b	
18	8b	Bl	6a	
18	9	Bl	5b	
18	10	Bl	6b	
18	10b	Bl	5c	
19	6	R	4b	
19	a	HC	6c	
19	b	HC	6a+	
21	7	R	4c	
21	8	R	5a	
21	a	HC	7b	Entorse *Morpho*
21	b	HC		Projet
22	a	HC	7a+	Impasse du hasard
23	a	HC	7b+	Les petits poissons
23	b	HC	6a	

bloc	voie	circuit	cotation	nom
24	a	HC	6c	
30	30	R	4c	Arrivée
30	a	HC	8a	Karma
30	b	HC	7a	Bizarre bizarre *Éliminante*
31	26	R	5a/5c	
31	43b	Bl	6b	
32	29	R	4b	
33	28	R	4c	
33	a	HC	6b+	
34	27	R	4a	
35	a	HC	6c	
37	a	HC	7a	Traversée
38	44	Bl	5c	
38	a	HC	8a+	Liaisons futiles *Traversée*
39	45	Bl	4c	
40	a	HC	7c	Eclipse *Traversée*
40	b	HC	7a+	Pensées cachées
40	c	HC	7c	Atomic power
41	46	Bl	5c	
41	47	Bl	6a	
41	a	HC	6b	
41	b	HC	6c	
42	48	Bl	6b	Arrivée
43	25	R	4c	
43	43	Bl	6b	
43	a	HC	7a	
50	9	R	5a	
50	9b	R	4c	
50	11	Bl	5c	
51	10	R	4b	
51	12	Bl	4c	
51	12b	Bl	4b	
52	11	R	4c/5c	
53	12	R	5a	
53	13	R	4a	
53	13	Bl	5b	
54	a	HC	7a+	Terre promise *Départ assis (7c)*

bloc	voie	circuit	cotation	nom
55	14	R	6a	
55	15	R	4b/6b	
55	15	Bl	5c	
56	14	Bl	4c	
56	16	R	4c	
58	17	Bl	5a	
59	22	Bl	5a	
60	23	Bl	5a	
62	16	Bl	5b	
63	18	Bl	4b	
63	a	HC	6c	
64	19	R	4b	
65	17	Bl	5c	
65	18	R	4c	
65	19	Bl	5c	
66	20	Bl	5c	
66	a	HC	7b+	Corps accord
68	21	Bl	5b	
68	a	HC	7b	Haute tension
68	b	HC	7b	La déferlante *Exposé*
69	20	R	5a	
75	24	R	5b	
75	41	Bl	5c	
75	42	Bl	5c	
76	39	Bl	5b	
76	40	Bl	5c	
77	23	R	4b	
77	38	Bl	6b	
78	37	Bl	5b	
79	22	R	4c	
80	21	R	4c	
80	36	Bl	6b	
82	28	Bl	5b	
83	27	Bl	6a	
83	29	Bl	5c	
84	26	Bl	5a	
84	26b	Bl	5b	
85	24	Bl	5c	
86	25	Bl	5c	

bloc	voie	circuit	cotation	nom
13	8	O	3c	
13	17	R	5c	
13	18b	R	6c+	La Michaud
14	8	B	4b	
14	18	R	6c	
15	10	B	4c	
15	10	O	3a	
16	9	O	2c	
17	9	B	5a	
17	19	R	6a	Prise de becquet
17	20	R	6a	Ponction lombaire
18	11	O	3b	
19	11	B	4b	
19	12	O	3a	
19	13	O	3a	
19	15	O	3a	
19	21	R	5b	
20	12	B	4c	
20	14	O	3a	
20	21b	R	7a	Le tourniquet du 93.7 *Tour de bloc*
21	16	O	3b	
21	17	O	3b	
23	15	B	4b	
23	22	R	6a	Le meilleur des mondes
23	23	R	6a+	La théorie des nuages
23	a	HC	7a+	Spyder bloc
24	13	B	4c	
24	18	O	2c	
24	26	R	5b	Razorback
25	a	HC	7a+	Bande passante *Traversée G>D*
26	a	HC	7b	Les plats *Traversée G>D*
27	14	B	4c	
27	16	B	4c	
27	19	O	3b	
27	24	R	5c	
27	25	R	6a	
27	24b	R	7a	
28	20	O	3b	
30	31	O	3a	
31	3	R	6a	
31	28	B	5b	
31	32	O	4a	
32	21	O	2c	
33	17	B	5a	
33	27	R	6a	Gilette pare dalle
33	28	R	5c	
34	18	B	4a	
35	19	B	5a	
35	19b	B	4b	
35	29	R	6c	Aero beuark
36	30	R	6b	Super vista
37	20	B	4b	
38	21	B	4c	
38	25	O	3b	
38	31	B	5b	
39	24	O	3a	
39	26	O	3a	
40	23	O	4a	
40	27	O	3b	
40	32	R	6c	
41	23b	B	4c	
42	23	B	4b	
42	37	R	5c+	Le long fleuve tranquille
43	36	R	5b	
44	22	B	4c	
44	22	O	2b	
44	33	R	5c+	L'otan en emporte le vent
44	34	R	6c	Galla lactique
44	35	R	6c	Constellation des amoureux
45	24	B	5b	
45	28	O	3a	
45	38	R	6b+	Le vélo de max
45	39	R	5c	L'appui acide
45	a	HC	7a	Le Boudha peste *Traversée haute G>D*
46	25	B	5b	
47	29	O	3a	
48	40	R	5c	
49	1	R	5b	*Départ*
49	2	R	6a	
49	26	B	4c	
49	27	B	4c	
49	30	O	3c	
49	41	R	5c	Fritz l'angle *Arrivée*

Canche aux Merciers

page 122

bloc	voie	circuit	cotation	nom
1	3	B	4b	
1	3	O	3b	
1	4	R	4c	La débonnaire
2	0	O	2c	Départ
2	1	B	4c	Départ
2	1	O	3b	
2	3	R	5c	L'autoroute du Sud
2	3b	R	5c	
3	2	B	5a	
3	2	O	3a	
3	5	R	5c	Maurice Gratton
3	6	R	6a	La goulotte à Dom
3	a	HC	7a+	Infusion du soir
4	4	B	5a	
4	4b	B	4a	
4	4	O	3a	
5	2	R	5c	Les nineties
6	5	O	2c	
7	6	O	3b	
8	1	R	5a	Ça dérape sec *Départ*
10	5	B	4a	
10	7	O	4a	
10	7	R	5b	Le croisé magique
11	6	B	4a	
12	7	B	4c	
13	8	B	5a	
13	8	O	3a	
13	8	R	5c	Par Toutatis
14	9	O	3b	
15	9	B	4b	
15	10	O	2c	
16	11	O	3a	
20	12	O	2c	
21	9	R	5b	Le beau final
22	9b	R	5c	variante
22	10	B	4c	
22	10b	B	4a	
22	13	O	3a	
23	17	B	5a	
24	11	B	5b	
26	33	R	4c	Récupactive
26	33b	R	5c	Gros os *Arrivée*
27	12	B	3b	
27	12b	B	3c	
28	15	B	4c	
29	14	O	3a	
29	16	B	5a	
29	16b	B	4b	
30	15	O	3c	
31	10	R	6a	Bobol's come back
31	16	O	3a	
31	18	B	4a	
32	17	O	4a	
32	19	B	5b	
33	14	B	4b	
33	14b	B	5b	
33	32	R	6b	Glycolise
33	40	B	4a	
33	a	HC	7a	Crise de l'énergie *Traversée basse*
34	13	B	3c	
34	30	R	5c	La femme léopard
34	31	R	5b	Hatari
35	a	HC	7a	*Traversée G>D*
36	29	R	6b	Les doigts d'homme
36	29b	R	6c	Kaki dehors
37	41	B	4b	
38	25	R	5c	La conti
38	26	R	6a	Uhuru
38	41	O	3c	*arrivée*
38	44	B	5b	*arrivée*
38	44b	B	4b	
38	a	HC	7a	Double face *(7b par le bas) Traversée G>D*
39	27	R	5c	L'air de rien
39	40	O	3a	
39	42	B	5a	
40	29	R	5b	Lune rousse
40	24	R	5c	Rêve de chevaux blancs
40	28	R	5b	L'hésitation
40	36	B	3c	
41	37	B	3b	
42	38	B	4b	
42	a	HC	7b	P'tit bras *Traversée D>G*
43	39	B	4c	
43	39	b	3b	4a
43	a	HC	6b	Les bons plats *Traversée D>G*
44	a	HC	7b	*Traversée G>D*
44	b	HC	6c+	Le nez *Toit*
45	21	R	5a	Triste sire
45	22	R	5c	Grande classique
45	35	B	5a	
45	39	O	3b	

bloc	voie	circuit	cotation	nom	bloc	voie	circuit	cotation	nom	bloc	voie	circuit	cotation	nom
46	19	R	8a	Beau pavé	53	22b	B	4b		69	28	B	4b	*Traversée D>G*
46	20	R	6a	Okilélé	54	14	R	5c	Sortie des artistes	70	27	O	1c	
46	34	B	4b		55	24	B	3c		71	36	O	2c	
46	34b	B	4b		56	21	O	2c		72	28	O	2a	
46	38	O	4a		56	23	B	4c		73	29	O	3c	
47	37	O	1a		56	23b	B	3c		74	30	O	3a	
48	33	B	4b		57	22	O	3c		75	29	B	4b	
50	20	B	4b		57	22b	O	2b		75	30	B	3c	
51	18	O	2b		57	a	HC	6c	*Traversée D>G*	75	31	O	2b	
51	19	O	3b		58	23	O	3a		76	32	O	3b	
51	21	B	3c		59	24	O	2c		77	16	R	6b	Chouchou chéri
52	11	R	6a	Pas pour Léon	60	15	R	6a	L'enfer des nains	77	31	B	5a	
52	12	R	6b+	Gueule cassée	60	15b	R	7a	Coup bas	77	33	O	3b	
52	13	R	6a	Jeu de jambes	60	25	O	2b		78	34	O	2a	
52	13b	R	5c	Le piston	61	26	O	3b		79	17	R	5c	Vous avez dit gros bœuf
52	22	B	4b		61	26b	O	4a		79	18	R	5c	Equilibriste
52	a	HC	7b+	Rage dedans	61	a	HC	7b	*Traversée D>G*	79	32	B	4b	
52	b1	HC	8a	Jacadi *Départ assis, par la gauche*	62	25	B	5a/4a		79	35	O	3b	
52	b2	HC	8a	saut de puce *Départ assis, par la droite*	64	26	B	4b/6b		A	a	HS	7a+	Ni vieux ni bête *Traversée D>G*
52	c	HC	7a	Fissure	65	27	B	5b		B		HS	7c	Soléa pour Valérie
53	20	O	3c		65	27b	B	4b						
					68	a	HC	7b	Séance friction					

bloc	voie	circuit	cotation	nom	bloc	voie	circuit	cotation	nom	bloc	voie	circuit	cotation	nom
1	2	B	4b		22	13	B	4c		38	9	Bl	5b	
1	31	R	4b		22	23	R	4b		38	10	Bl	6a	
2	1	B	4b	Départ	23	14	B	3c		38	10b	Bl	6b	
2	28	R	5a		23	24	R	4b		38	15	R	4c	
2	29	R	5a		24	25	R	5a		38	19	B	4c	
3	4	B	3c		25	11	B	3c		38	21	B	3c	
4	36	Bl	5b		26	34	Bl	5c		39	17	B	4b	
4	37	Bl	5c	*Variante directe 6b*	26	35	R	4c		40	a	HC	7a+	Le p'tit toit
5	1	Bl	5b	Le kilo de beurre	27	36	R	4a		41	11	Bl	5c	
5	32	R	5a		28	26	B	3c		41	11b	Bl	6b+	
5	a	HC	7a+/7c+	L'ange naïf *Selon méthode*	28	27	B	4a		41	18	B	3c	
6	2	Bl	6b	La Poincenot *Sans prise taillée 7a*	28	32	Bl	7a	La fosse aux ours	42	12	Bl	5c	
7	3	B	4c		28	32b	Bl	7a	Danse avec les loups	42	13	R	4c	
7	3	Bl	5c		28	32t	Bl	7a		43	13	Bl	5b	
7	3b	Bl	7a+	Le bloc à Bertrand	28	37	R	5c		43	14	R	4b	
7	3	t	Bl	7a+		28	38	R	4c		44	12	R	4b	
7	30	R	4b		29	25	B	4a		45	11	R	5b	
8	5	B	4c		29	33	R	5c		46	10	R	4c	
9	6	B	4c		29	39	R	4b		48	8	R	3c	
9	27	R	5b		30	28	B	4c		48	14	Bl	5a	
10	9	B	4b		31	24	R	4b		49	7	R	4b	
11	7	B	3b		32	23	B	4b		50	9	R	4c	
12	20	R	4c		32	42	R	5a		50	15	Bl	5a	
12	a	HC	7b+	Le médaillon	33	22	B	3b		50	16	Bl	5b	
13	4	Bl	6a		33	29	Bl	5c		51	6	R	4c	
13	5	Bl	6b		33	29b	Bl	7a	Miss KGB	51	17	Bl	5c	
13	6	Bl	5a		33	30	Bl	6a		51	18	Bl	6b	
13	21	R	4c		33	30b	Bl	7a+	Mister proper	52	19	Bl	6a	
14	35	Bl	5b		33	31	Bl	5c		53	5	R	4c	
15	10	B	4b		33	31b	Bl	7a	Tarte aux poils	54	4	R	4b	
15	34	R	5a		33	40	R	4c		54	20	Bl	5b	
16	8	B	5a		34	41	R	4c		55	3	R	4c	
16	12	B	4b		35	15	B	4b		55	21	Bl	5a	
16	33	R	4c		36	7	Bl	6a		56	1	R	4a	*Départ*
17	26	R	4b		36	16	B	5b		56	2	R	4b	
19	22	R	5b		36	17	R	5c		56	22	Bl	5b	
20	18	R	4a		37	16	B	4b		56	23	Bl	5b	
21	19	R	5b		37	20	B	4b		60	29	B	4b	
					38	8	Bl	5b		61	30	B	3c	

bloc	voie	circuit	cotation	nom
62	31	B	3c	
62	43	R	5b	
63	28	Bl	4c	
63	28b	Bl	7a	
63	45	R	5b	
64	27	Bl	5b	
64	32	B	4b	
64	44	R	5b	
64	46	R	4c	
65	26	Bl	5b	

bloc	voie	circuit	cotation	nom
65	33	B	4b	
65	35	B	5a	
66	36	B	3c	
67	24	Bl	5c	
67	24b	Bl	6b	
67	25	Bl	6a	
67	34	B	4c	L'ectoplasme
67	47	R	5c	*Arrivée*
67	a	HC	7c+	Futurs barbares
68	37	B	3b	

bloc	voie	circuit	cotation	nom
68	a	HC	7b+	Absinthe
69	a	HC	7a	Pierre précieuse (Yaniro)
69	b	HC	7a+	Arête de gauche
A		HC	7a	Oxygène/Oxygène actif *Traversée D>G / aller-retour 7b*
B		HC	7b	Yogi
C		HC	7b	Prouesse
D		HC	7a+	Extraction terrestre
E		HC	7a	Surplomb du bivouac

La Roche aux Sabots

page 155

bloc	voie	circuit	cotation	nom
1	1	B	4b	
1	2	B	4b	
1	3	B	4c	
1	20	J	2c	
2	4	B	4b	
2	5	B	4a	
2	13	R	5b	Red one
2	21	J	2c	
2	a	R/Bl	7a+	C'est assis, mais c'est tassé
2	b	R/Bl	7c	Le poil de la bête *Traversée basse D>G*
3	6	B	4c	
3	7	B	4a	
3	8	B	3b	
3	9	B	4b	
3	14	R	6b	L'angle de la pierre ôtée
3	15	R	6a+	Coup de patte
3	a	R/Bl	6b	
3	b	R/Bl	7a	Lime à ongles
3	c	R/Bl	7b	La bas-bas cool *Traversée basse G>D*
3	d	R/Bl	7a	Prima *Traversée G>D - sortie 14 R*
3	e	R/Bl	6b	
4	21b	J	3a	
4	a	R/Bl	6b	*Traversée D>G*
5	10	B	3c	
5	11	B	3b	
5	22	J	2c	
5	a	R/Bl	6b	Silence, on tourne *Traversée G>D*
5	b	R/Bl	7b	Lucifer
6	10	R	5c	Danger majeur
6	11	R	5c	L'arrache-moyeu
6	12	R	5b	L'angle à Gilles
6	19	J	2c	
6	19	B	4b	
7	18	J	1c	
7	20	B	4a	
7	a	R/Bl	6c	Anglomaniaque *Départ sur n°20 B*
7	b	R/Bl	7a	Jeux de toit *Variante 7b*
8	12	B	5a	
8	17	R	5a	Vol au vent
8	18	B	4b	
8	24	J	3a	
8	a	R/Bl	8a	Déviation
8	b	R/Bl	6b	Le bond de l'hippopotame
8	c	R/Bl	6c	Le flipeur
9	23	J	2c	
10	13	B	3b	

bloc	voie	circuit	cotation	nom
10	14	B	4a	
10	15	B	4a	
10	16	B	4c	
10	16	R	5b	Le mode d'emploi
10	25	J	3b	
11	17	B	5b	
11	21	B	4a	
11	26	J	3a	
12	16	J	2b	
13	17	J	2b	
14	22	B	4a	
14	23	B	5a	
14	27	J	2b	
14	a	R/Bl	6b	Chapeau chinois
15	14	B	2c	
16	9	R	5b	Little Crack
16	15	J	3b	
16	29	B	5a	
18	18	R	6a+	Le mur à Robert
17	19	R	6a+	les joyeuses de Noël
17	24	B	4c	
17	a	R/Bl	7a	Angle
17	b	R/Bl	6b	L'inversée satanique *Variante directe 6c+*
17	c	R/Bl	6b+	Angle
18	25	B	3c	
19	26	B	4c	
19	28	J	2b	
20	20	R	5b	Passage à l'acte
20	21	R	5b	Mine de rien
20	27	B	4c	
20	28	B	3c	
20	29	J	2a	
20	a	R/Bl	7a	Amanite dalloïde
20	b	R/Bl	6c	Bazooka jo
21	22	R	6a+	Le tiroir/Rien de bon
21	23	R	6a	Bon à rien
21	24	R	6a	Les grattons belliqueux
21	25	R	6b+	L'angle à Jean-Luc
21	30	B	3b	
21	30b	B	5a	
21	a	R/Bl	6b+	Angle Ghersen
21	b	R/Bl	7a+	Sphincters toniques *Jeux de mains*
21	c	R/Bl	7c	Pets O2 max *Combinaisons des voies de la face*
21	d	R/Bl	7a+	L'impossible
21	e	R/Bl	7b	Ongle jo
22	13	J	2c	
23	26	R	5a	Le goût du jour
23	27	R	5c	Crosse en l'air
23	28	R	6a+	Service compris

bloc	voie	circuit	cotation	nom
23	29	R	6b	Le mur à Michaud
23	30	J	3b	
23	30	B	5b	La barquette de beurre
23	31	B	3b	
23	31	b	B 4b	
23	a	R/Bl	7a	Jet set
23	b	R/Bl	7b	Jack's finger
23	c	R/Bl	5b	Les yeux
23	d	R/Bl	7b	*Traversée D>G, sortie par le 28 R, 7c*
23	e	R/Bl	7b+	Le parallèlogramme
24	11	J	2a	
24	12	J	3a	
25	10	J	1c	
26	8	R	5b	Beauf en daube
26	9	J	3b	
26	9b	J	3b	
26	44	B	4a	
26	45	B	4c	
26	46	B	4b	
27	35	B	3c	
28	31	J	2b	
28	31b	J	3a	
28	31	R	5b	Servir frais
28	32	B	4b	
28	32	R	5c	Le pain total
28	33	B	4b	
28	33	b	B 4b	
28	33	R	5c	Le théorème de Pascal
28	34	B	4a	
28	a	R/Bl	6c+	Rumsteak en folie
29	8	J	2c	
30	6	R	5c	Le porte à faux
30	7	J	3b	
30	7	R	4c	Le mur Badaboum
30	a	R/Bl	7a	Achille Talon
30	b	R/Bl	7b+	100% pulpe
30	c	R/Bl	6b	Jus d'orange
31	6	J	2c	
31	43	B	4a	
32	5	J	3a	
32	41	B	3c	
32	42	B	4a	
33	4	J	1c	
33	5	R	5b	Le passage à tabac
33	40	B	4c	
33	a	R/Bl	7c	Sale gosse *8a départ assis*
33	b	R/Bl	7a	Gravillon *Angle surplombant*
33	c	R/Bl	7a	Graviton

bloc	voie	circuit	cotation	nom	bloc	voie	circuit	cotation	nom	bloc	voie	circuit	cotation	nom
33	d	R/Bl	7b+	Vieille canaille *Traversée G>D*	35	a	R/Bl	7a+	Partie de jambes en l'air *Traversée D>G*	37	34	R	6a	L'auriculaire - Toit aux frelons
34	36	B	4b		36	3	J	2b		37	a	R/Bl	7a	Le tourniquet *Tour de bloc*
34	37	B	4a		37	1	J	2c		38	2	J	3a	
34	38	B	3c		37	1	R	6a	Le saute-montagnes	38	4	R	5b	La dalle de cristal
34	a	R/Bl	6c+	Surplomb des frelons *Traversée D>G*	37	2	R	6a	Le coup de genoux	A		HS	7c	Miss world *Traversée D>G*
35	39	B	3c		37	3	R	6a	Le surplomb à coulisse	B		HS	7c	Le dernier angle

91.1

bloc	voie	circuit	cotation	nom	bloc	voie	circuit	cotation	nom	bloc	voie	circuit	cotation	nom
1	31	R	4b		21	23t	R	6a		36	a	HC	7a	Les pieds nickelés
1	31b	R	5a		21	37	J	3a		37	29	J	3c	
1	47	J	4b	Arrivée	22	18	R	5a		38	9	R	5a	
2	30	R	5b		22	33	J	2c		38	9b	R	5c	
3	32	R	5a		23	17	R	4c		38	26	J	3c	
3	42	J	3b		23	32	J	3a		40	6	R	4b	
3	43	J	3b		23	a	HC	7a	Le Sur Plomb	40	6b	R	5c	
3	a	HC	6c	Traversée G<>D	24	16	R	5b		40	7	R	5b	
4	34	R	5c	Arrivée	24	25	R	4c		40	17	J	2c	
4	45	J	3c		24	25b	R	5a		42	5	R	4b	
4	46	J	4b		25	13	R	4c		42	16	J	2c	
5	33	R	4c		25	14	R	6a	La Goulotte	43	4	R	4a	
5	33b	R	6b		25	14b	R	5a		43	15	J	4a	
5	44	J	3b		25	31	J	3b		44	14	J	3a	
6	20	J	3b		26	30	J	3c		45	13	J	3c	
6	21	J	3b		30	22	J	3b		46	3	R	3c	
7	19	J	3a		31	24	J	3c		47	1	R	4c	Départ
8	18	J	4c		32	8	R	4c		47	2	R	5b	
10	29	R	5b		32	8b	R	6a	Le Flipper	47	2b	R	6b	
11	27	R	4c		32	25	J	4b		47	11	J	4a	
12	40	J	3b		33	23	J	4a		48	12	J	4a	
13	39	J	3a		34	10	R	4b		50	10	J	3b	
14	28	R	4b		34	10b	R	5c		51	8	J	3b	
14	38	J	3c		35	11	R	4b		51	9	J	3c	
14	41	J	3b		35	11b	R	4b		52	7	J	3c	
15	24	R	4c		35	16b	R	5a		53	6	J	3a	
16	35	J	3b		35	26	R	4c		53	6b	J	3c	
17	36	J	2b		35	26b	R	6a	Traversée G<>D	53	6t	J	4a	
18	21	R	4a		35	27	J	4a		54	5	J	3c	
19	22	R	4c		36	12	R	5c		55	4	J	4a	
19	34	J	3a		36	12b	R	5c	L'arc de cercle	56	3	J	3c	
21	19	R	5a		36	12t	R	6a	Le Grand dièdre	57	2	J	3c	
21	20	R	4b		36	15	R	5b		58	1	J	3a	Départ
21	23	R	5b		36	15b	R	5a		58	1b	J	3c	
21	23b	R	5c		36	28	J	3a						

Rocher Guichot

page 171

bloc	voie	circuit	cotation	nom	bloc	voie	circuit	cotation	nom	bloc	voie	circuit	cotation	nom
1	1	B	4a	Départ	5	2	B	4c		7	4	O	2b	
1	1	O	2c	Départ	5	2	O	2b		8	5	O	2a	
2	4	B	4a		5	3	R	6b		9	7	O	3a	
3	5	R	6b		5	3	B	4b		9	18	B	5b	
3	5	B	4c		5	4	R	6b		9	19	R	6a	
3	6	B	5a		5	20	B	5a	Arrivée	9	19	B	4c	
3	26	O	3a		5	21	R	6a	Arrivée	9	20	R	6b	
4	27	O	2b		5	28	O	3b	Arrivée	10	6	O	3a	
5	1	R	5b	Départ	5	a	HC	8a	Traversée D>G	11	9	O	3a	
5	2	R	6a		6	3	O	2b		11	10	O	2b	

bloc	voie	circuit	cotation	nom	bloc	voie	circuit	cotation	nom	bloc	voie	circuit	cotation	nom
11	17	B	5a		15	11	R	6a		20	9	R	5b	
12	11	O	2c		15	12	R	5b		20	9	B	5a	
12	12	O	2b		15	14	O	3c		20	10	B	4a	
13	8	O	2a		16	15	O	2b		20	19	O	2b	
13	15	R	6b		17	16	O	2c		20	20	O	2c	
13	15	B	4c		18	17	O	2b		21	8	B	4c	
13	16	R	6b		19	11	B	4b		21	21	O	2c	
13	16	B	4c		19	12	B	5b		22	6	R	6a	
13	17	R	6c		19	13	B	5a		22	7	B	4a	
13	18	R	5b		19	18	O	3c		22	23	O	3c	
14	13	R	5b		19	a	HC	7c	Mayonnaise de passion *Traversée D>G*	23	22	O	2a	
14	13	O	3a		19	b	HC	7c+	L'univers des arts *Traversée G>D, sortie par le surplomb*	23	24	O	3b	
14	14	R	5b		20	7	R	6b		24	25	O	2a	
14	14	B	4c		20	8	R	5c						
15	10	R	5c											

Vallée de la Mée

bloc	voie	circuit	cotation	nom	bloc	voie	circuit	cotation	nom	bloc	voie	circuit	cotation	nom
1	1	R	5a	*Départ*	32	4	O	3c	L'équilibriste	52	24	B	4b	
1	2	R	5a		33	2	O	4a	Le rouleau californien	52	35	R	5c	
1	3	R	5b		33	5	O	4a	Ventre B	53	19	O	2c	
1	4	R	5c		33	6	O	3b	La traversée des confettis	54	20	O	3a	La patinoire
1	5	R	5b		33	15	B	5a		54	21	O	3a	La cheminée de l'obèse
2	6	R	6a		33	15b	B	5b		55	25	O	3b	Les pattes de mouche
2	7	R	5b		33	24	R	6a		55	25b	O	3a	
3	8	R	6a		33	24b	R	6a		56	22	O	3a	
3	9	R	5b		33	25	R	5b	Le mur jaune	57	25	B	3c	
10	0	B	3a	*Départ*	34	1	O	3b	Le Klem *Départ*	57	36	R	5a	
11	a	HC	6c+	Eclipse *Traversée G>D*	34	16	B	3c		58	24	O	3b	Le Cervino
12	2	B	4b		34	16b	B	5b		58	24b	O	2c	Le Cervino sortie gauche
12	10	R	5c		34	26	R	5a		59	23	O	4a	La vire tournante
12	11	R	5b	Les trois lancers	34	27	R	5a		60	26	B	4a	
12	11b	R	6a		34	28	R	5c		61	27	B	2c	
12	12	R	5c		34	28b	R	6b+		62	26	O	2c	
13	1	B	4a		35	7	O	2c	L'écartelée	63	27	O	3c	
13	13	R	5a		35	8	O	2c	La vire à bicyclette	63	28	B	4c	
13	14	R	5b		35	9	O	3b	L'inessorable reptation	64	28	O	3b	
13	15	R	6b		35	17	B	5a		64	29	B	4b	
13	15b	R	5a		36	10	O	3c	Le baquet de Pierre	65	29t	O	2a	
14	3	B	3c		37	11	O	4b	Le crochet	66	29	O	3a	La grande dalle du Coutant
14	16	R	5c		37	11b	O	2c		66	29b	O	4a	La petite dalle du Coutant
14	17	R	5c		40	12	O	2a	Le pas de la mule	66	30	O	2b	La traînée blanche
15	4	B	3c		40	29	R	5c		66	30	B	4a	
15	18	R	5b		40	29b	R	6a		70	31	O	2b	
16	5	B	3c		40	30	R	6b		70	32	O	4b	Le mauvais angle
18	6	B	4b		40	31	R	5c		71	33	O	3b	L'allonge de l'escalier
18	19	R	6b	La voie lactée	40	a	HC	7b+	Etrange étrave	71	34	O	3c	Le mauvais pas
19	7b	B	5c		41	13	O	3c	Le feuillet décollé	72	35	O	3c	Le nouvel angle
20	8	B	5b		41	18	B	3c		73	37	R	5c	
21	9	B	4a		41	32	R	5c		73	a	HC	7a+	Prophétie *Traversée D>G*
21	9b	B	4b		43	19	B	4b		74	31	B	4a	
21	9t	B	4c		44	14	O	4a	Le pousse pied	74	36	O	4a	La fissure humide
21	9q	B	3a		44	20	B	4b		74	36b	O	4a	
22	7	B	5a		44	33	R	5b		74	38	R5c/6b		*Selon méthode*
22	10	B	4a		45	15	O	4b	La traversée du poussin	74	39	R	5a	
22	20	R	6a		45	34	R	5b	Le toit du châtaignier	74	40	R	5b	
22	21	B	5c	La clé de pied	46	21	B	3b		75	32	B	4a	
23	11	B	4a		47	22	B	3c		76	33	B	4a	
24	12	R	4b		48	16	O	3a	L'accroupie	76	37	O	4a	La déviation
24	22	R	5b	La contorsion	48	23	B	4c		76	41	R	5c	
30	13	B	4a		49	16b	O	3b						
31	3	O	4a		52	17	O	3b	Les petits rognons					
31	14	R	4a		52	18	O	4b						
31	23	R	5b											

bloc	voie	circuit	cotation	nom	bloc	voie	circuit	cotation	nom	bloc	voie	circuit	cotation	nom
76	42	R	3a		78	44	R	3a	Corner	80	37	B	3b	
76	42b	R	5c	Les rasoirs	78	44b	R	5b		80	39	O	2c	La bleausarde
					78	45	R	5c	Les petits pieds	80	47	R	5b	
76	43	R	5b	La fissure au marbre						81	38	B	4c	Arrivée
77	34	B	4a		78	46	R	5b						
78	35	B	4c		78	46b	R	6b		81	40	O	3b	La traversée des tortues jumelles *Variante en dalle 4c*
78	38	O	4a	Les deux baignoires	79	36	B	3b		81	48	R	6a	L'angle des

Beauvais Est

bloc	voie	circuit	cotation	nom	bloc	voie	circuit	cotation	nom	bloc	voie	circuit	cotation	nom
1	22	R	5b	La kaléidoscope	23	16	N/Bl	6b	M&M's	52	43	B	4a	Le grattounet
1	32	B	4a	New deal	24	27	B	4c	Errare humanum est	53	1	N/Bl	7a	L'éloge de la différence
2	21	R	5b	Le distingo	25	35	B	4a	La bidouille	53	2	N/Bl	6c	le mouton noir
2	31	B	4a	Le plat garni	26	36	B	4a	Le bloc de poche	53	3	N/Bl	6a	Sang d'encre
3	20	R	5a	j'ai fantaisie	27	37	B	2c	Le trait d'union	53	44	B	4a	Tête de colombe
3	33	B	4c	Du R pour les bleus	28	10	N/Bl	7a	Le black out	55	45	B	3c	Bouleau chagrin
4	17	R	5c	L'étambot	28	38	B	4b	Le complexifié	56	1	R	5b	La traversée du désir
4	18	R	5b	Les chaires mobiles	29	7	B	3a	L'hypothénuse	56	46	B	4b	Aller simple
4	19	R	5b	Trompe la mort	30	11	R	5b	Le confit de canard	57	47	B	4a	Pas d'affolement pour miss Vibram
4	34	B	4a	Le long fleuve tranquille	31	9	N/Bl	7a	La mouche	58	2	R	5c	Le coq six
5	16	R	5c	L'étrave	31	10	R	5b	L'oubli	58	2b	R	5c	Le sot poudrage
5	30	B	4a	La traversée des cieux	31	11	B	3c	L'appuie-tête	58	48	B	4b	Au gré du grès
6	13	N/Bl	6c	Les ongles en deuil	31	12	B	4b	L'éclopé	59	6	N/Bl	6a	Bagdad café
6	23	R	6a	La traversée du bonsaï	32	10	B	3a	L'incertitude	59	49	B	4a	Le bon choix
6	24	B	5c	Syndrome albatros	33	6	B	3a	Le boeuf sous le toit	60	34b	R	5c	La traversée des garçons
6	24b	R	6a	Manu : tension	33	31	R	5c	Néanderthal roc	61	34	R	5b	La traversée des filles
6	29	B	4a	Le pin bonsaï	34	5	B	3c	La prise en compte	62	22	N/Bl	6c	Le cambouis du diéseliste
7	12	N/Bl	6b	Le petit ramoneur	34	30	R	6a	L'ouvre-boîte	63	39b	R	6a	La tripack
7	15	R	5b	En bref	35	21	N/Bl	6b	La dame noire	64	23	N/Bl	6a	L'Amoco
8	28	B	4b	Perseverare diabolicum	35	29	R	5b	L'appel du bistrot	65	27	N/Bl	6a	Le café crème
9	11	N/Bl	6b	Les abysses	36	32	R	5b	La dure mère	65	28	N/Bl	6b	Le capuccino
10	14	N/Bl	6c	Le cliché noir&blanc	37	4	B	3c	La motte de beurre	65	38	R	5b	Le trou des garçons
10	14b	N/Bl	7b+	La gueule du loup	38	8	B	4b	La fissure close	65	39	R	5b	Le trésor public
10	23	B	4c	Comme un singe en rut	38	8	R	5b	Foot bloc	65	40	R	5b	Tu ne voleras point
10	24	B	3c	Les dégâts limités	38	8	N/Bl	7a+	Le nègre en chemise	66	29	N/Bl	6c	Le crawl en mer noire
10	25	R	5a	La rogaton	38	13	R	3c	Le poussif nocif	66	35	R	6a	Le coup de boule
11	25	B	3b	La dalle de la Carrière	39	7	R	6a	Blatte runner	67	30	N/Bl	6b	L'ébène
12	15	N/Bl	6c	La magie noire du derviche	40	9	B	3a	Les pieds dans la sémoule	67	30b	R	6c	La perle de jais
12	26	B	4a	Le quartier de citron	40	9	R	5a	La rimaye	67	30t	N/Bl	7a	Danse macabre
13	22	B	4a	L'écailleux	40	39	B	3c	La dulf' du vieux cimetière	67	36	R	5c	Mauvais sang
14	26	R	6a	D.o.s 6	41	40	B	4b	Des bogues plein les pognes	68	37	R	5b	Sans l'arrêt
15	20	B	4a	La pierre de l'édifice	42	2	B	3c	Ventre dur	70	26	N/Bl	6a	Le mâle blanchi
15	21	B	3c	L'évidence	42	3	B	4b	Le pt'it coin	71	24	N/Bl	7a	L'oeuvre au noir
16	19	B	4a	Objectif grâce	42	5	R	5b	L'amoch'doigt	72	24b	N/Bl	7c	Le dahlia noir
17	18	B	4a	La toile de cinoche	42	6	R	5a	L'has been	73	24t	N/Bl	7a	La ballade du champion
18	27	R	5b	Le folklo	43	33	R	5c	Roc autopsie	74	25	N/Bl	6b	La veuve du fossoyeur
19	16	B	4b	Les gros bras	44	4	R	5c	Soleil cherche futur					
19	17	B	4a	Le pendule des Avaux	45	1	B	3a	La chaufferette					
19	19	N/Bl	6b	L'onyx	45	1b	B	4a						
19	28	R	5c	Le biodégradable	46	7	N/Bl	7a+	Mathilde					
20	20	N/Bl	6b	La limonite	46	7b	N/Bl	7b	Je broie du noir					
21	18	N/Bl	6b	Le brou de noir *(statique)*	46	7t	N/Bl	7b	Le sectaire					
22	12	R	5b	Caresses amères	47	3	R	5b	Un bien beau superlatif					
22	13	R	5c	Art pariétal	47	50	B	4a	Voici le temps du monde fini					
22	14	B	4b	Pour Olympe	49	41	B	4a	Lacoïonnade					
22	15	B	5a	Agoraphobie	50	4	N/Bl	6c	Coup de blues					
22	17	N/Bl	7a	L'anthracite	50	4b	N/Bl	7b	L'étrave à sucre					
23	14	R	5c	Le boeuf carotte	50	42	B	3b	La frousse bleue					
					51	5	N/Bl	6c+	Le grain de beauté					

La Padôle
page 210

bloc	voie	circuit	cotation	nom
1	2	R	5a	Le cheminot
1	3	R	4c	Les bavures jaunes
1	4	R	5c	
1	5	R	5b	Fissure de Tender
1	3	N	6b	TGV
1	5	N	7b	Carte orange
1	4	N	7a	La vie du rail
2	7	N	6b	Odeur de vestaire
10	8	R	5c	
11	9	R	5c	
12	12	R	4c	La nord ouest du sandwich
13	8	N	6a	Anti takat
13	10	R	6a	La gitane
13	11	R	4c	Mur de son
14	10	N	6b	Les aventuriers
14	13	R	5b	Salle à manger
14	14	R	5b	L'écho muet
14	11	N	6c	La dernière croisade
14	17	R	5c	Service compris
15	12	N	7a+	
15	15	R	6b	Sabbah
15	15	N	6c	L'ami bernard
15	16	N	6c	Bagdad café
16	16	R	5b	Enfin heureux
16	13	N	6b	La cache
17	18		N7a+/7b	Tyama arachi *7b départ au fond*
17	17	N	6a	Tien Anmen
18	a		HC6b/7a	Tani otochi *7a départ au fond*
19	20	R	5c	L'expo
20	21	R	5b	Le mur à Jacques
20	19	N	6a	Tombé du ciel
20	20	N	6b	Alertez les bébés
100	31	R	6b	Kalimantan
101	a	HC	7c+	Fin de journée *Traversée sortie 32 N*
101	11	R	4c	Paroles
101	33	N	6b+	Kango
101	32	N	7a	Délice choc
102	38	N	6b	Le petit écolier

Petit Bois
page 226

bloc	voie	circuit	cotation	nom
1	1	B	4b	Carapace *Départ*
2	1	N	5b	Préchauffe *Départ*
2	2	B	4a	Nid d'abeilles
2	2b	B	4b	Nid d'oiseaux
2	3	B	4b	Rêve d'Eiger
3	4	B	4a	La vague
4	2	N	6c	La balade de Jim
4	2b	N	7a+	T comme Tarzan *Exposé*
4	2t	B	4a	L'œuf
4	3	N	7a+	Passage à l'acte *Exposé*
4	4	N	4a	Big Jim *Engagé*
4	5	B	4a	Face nord
4	7	B	4a	Toute confiance
4	8	B	4b	Silence
5	6	B	4a	Sans les mains
6	9	B	4b	Haut les pieds
7	5	N	6b+	Le dolmen
7	6	N	6b+	Rataplazip
7	10	B	4b	Hésitation
9	7	N	7a	La baleine
10	11	B	5a	Rondeurs ennemies
10	12	B	4b	Emotions
11	8	N	6b	Le triangle d'or
12	13	B	4a	Petites formes
12	14	B	4a	Plat du jour
12	15	B	4a	Rando B
12	16	B	4a	Etroiture
12	17	B	4b	Dans les nuages
12	18	B	4b	Angle gauche
13	19	B	4b	La bonne taille
13	20	B	4a	Pour les mains
13	21	B	4b	Blocage
13	21b	B	4a	Des blocages
13	22	B	4a	Dérapage
16	13	N	6b	Parapente
18	9	N	6a	Remise à l'heure
18	23	B	4b	Ténéré
18	23b	B	4b	Super Ténéré
21	10	N	6a	Big Ben
21	24	B	4b	Le réveil matin
22	25	B	4b	En trave
23	26	B	4a	L'hélicol
23	26b	B	4a	Le super frelon
25	27	B	4a	L'acrobate
26	28	B	4b	Bil Boquet
26	29	B	4b	Boule Boquet
27	30	B	4b	Action plus
28	31	B	4b	Belle à faire
29	11	N	6b	Le casse-tibia
29	11b	N	7c	Morte plaine
29	12	N	6a+	Les petits vérins
29	32	B	4a	Le guépier
30	34	B	4a	Achille t'as long
31	14	N	6b	Le GR bloc
31	33	B	4a	L'allonge
32	35	B	4b	Muraille
34	36	B	4b	Le rouge est miss
34	37	B	4b	Du rail
35	38	B	4b	Chercheur d'or
35	39	B	4a	Sur le fil
36	40	B	4a	Que dalle
37	41	B	4a	Le buffet
39	42	B	4b	P'chy cause
39	43	B	4a	Le roncier
41	15	N	6b+	Les douves
41	44	B	4b	Le rempart
41	44b	B	4a	Ramping
41	45	B	4a	Don jon
43	46	N	4a	Contre bras
44	47	B	4a	Le plan incliné
45	48	B	4b	Pain de sucre
46	16	N	6a	Big bloc
47	17	N	6c	Bidoigts pour monocéphal
47	17b	N	7b	Convulsions
47	49	B	4b	Le gruyère
47	50	B	4b	Sans comté
48	18	N	6a	L'escalier
48	51	B	4a	Angle roc
50	52	B	4a	Dans l'ombre
51	19	N	6b+	L'ange mobile
51	20	N	6b+	Le doigt carré
51	53	B	4c	Squat
52	21	N	7a	Rebord retord
52	22	N	7a	La prise clef
52	54	B	4a	Convexasse
53	55	B	4c	L'aboréta
53	56	B	4b	Fuillangle
54	23	N	6a+	L'Emoréta
54	24	N	6b	Ligne de force
54	24b	N	7a+	Pro-pulse
54	25	N	6b	Sur prises
54	26	N	6b	Le plat pays
54	57	B	4c	Bruit de couloir
55	59	B	4b	Le muret
55	60	B	4c	L'élinante
56	58	B	4b	L'excentré
57	61	B	4b	La dérive
57	62	B	4a	Compression
58	27	N	6c	Vacances à Bombay
58	27b	N	6c	Conduite rapide
58	28	N	6a+	Elongation
58	29	N	6c	Machine à jambon
58	30	N	6b+	L'angle rotulien
58	31	N	6b+	La cruxi friction
58	31b	N	7c	Le mur du son
58	32	N	6b	Le beau quartier
58	32b	N	7a	L'arc Angel
58	63	B	4b	Le merisier
58	65	B	4b	Près des anges
59	64	B	4a	Gratangle
60	33	N	6b	La vengeance des triceps
61	34	N	6a	Des pieds, des mains
61	66	B	4b	Extorsion
62	35	N	6c	Vive les vacances
62	35b	N	7b	Travaux forcés
63	36	N	6b	Le chat de gouttière *Arrivée*
63	69	B	4a	Le fond de grès
64	67	B	4b	Déroutage
64	68	B	4a	Le penchant
65	70	B	4a	L'arrêt qu'on pense *Arrivée*

Buthiers

bloc	voie	circuit	cotation	nom
1	1	N	6a	L'envers des fesses *Départ*
2	0	B	4b	Départ
3	2	N	5b	Le pare brise
3	10	B	4a	L'angle du grincheux
4	11	B	4c	L'andouille de vire
4	12	B	4c	Le quadriceps gauche
5	9	B	4c	Le jeté tentant
6	15	B	4c	Le jazz
7	16	B	3c	La java
8	13	B	4a	Les doigts sous le pied
8	14	B	4b	La dalle du pin
10	3	N	6a	Surplomb de marbre
10	4	N	6b	Le grand angle
10	4b	B	5c	La jojo
10	8	B	4c	La dalle de marbre
11	7	B	4b	L'onglier
12	5	N	5c	La directe du petit Cervin
12	6	B	4c	Le petit Cervin
13	5	B	4c	L'as tactique
14	17	B	4a	Le quadriceps droit
15	18	B	4a	Les pieds à plat
16	7	N	6a	Les supers grattons
16	8	B	6a	Les grattons
16	19	B	4b	Les doigts coincés
16	20	B	4a	Les mains à plat
17	1	B	4a	La jambe en l'air
17	4	B	4c	La lime à ongle
18	2	B	4b	La rampe de l'escalier vert
18	3	B	4b	La vire à Bibi
19	6	N	5c	Le marchepied
20	25	B	4c	La fissure du sherpa

bloc	voie	circuit	cotation	nom
20	26	B	4b	Le dé rance
21	9	N	6a	Les pédales
22	11	N	5c	La piscine
24	10	N	6b	L'orléanaise directe
25	27	B	4b	La bien planquée
26	23	B	4c	Le général direct
26	24	B	3c	Les grattons du général
27	22	B	4b	L'enjambée
28	21	B	3c	Les baquets
30	28	B	3c	La vite fait
31	12	N	5c	La Descheneaux
31	13	N	5c	L'envers de la Descheneaux
31	29	B	4c	La Descheneaux
31	30	B	4b	L'envers de la Descheneaux
32	31	B	3a	L'histoire de
34	14	N	6a	La voie lactée
35	a	HC	7b	*Traversée D>G*
36	15	N	6b	L'excuse
37	16	N	6c	Le Cource doigt
38	32	B	4c	Le surplomb des poings
38	33	B	3b	Les poings à gauche
38	34	B	4b	La fissure des poings
40	35	B	4b	Le plaisir des dames
42	17	N	5c	Le perlinpinpin
42	37	B	4a	Le minaret
43	20	N	6c	La voie Mercier
43	38	B	3c	Les trous du gruyère
43	a	HC	7b	Master edge
43	b	HC	8a	Misanthropie
44	18	N	5c	La Yano

bloc	voie	circuit	cotation	nom
44	36	B	3a	Le plaisir à personne
45	19	N	6b	La duchesse
45	39	B	5a	La fissure de l'I
45	40	B	5a	La fissure verte
45	a	HC	7c	Furyo
47	21	N	5c	La super angle Brutus
47	22	N	6a	La Brutus
47	41	B	4c	La mine à Rey
47	42	B	4c	La fissure Brutus *Arrivée*
47	a	HC	7b+	L'âge de pierre *Encordé*
50	23	N	6b	La traversée du culot
51	24	N	5c	La dynamostatique
52	a	HC	7a+	Lady big claques
53	26	N	5c	L'angle de la fresque
53	27	N	6c	La super fresque
54	28	N	6b	L'ultra son
55	25	N	6a	L'étrave
56	29	N	5c	La coupe rose
57	30	N	6c	Le surplomb taillé du pique nique
58	31	N	5c	La dalle Poulenard
58	32	N	5c	Le surplomb de l'Usi
60	33	N	5b	La sup direct des Minets
60	34	N	5b	Le directissime des Minets
60	35	N	6a	Le charleston
60	36	N	6b	Le swing medium
60	a	HC	7c	Strappal
62	37	N	6b	Rêve de singe
63	38	N	5c	L'allumeuse
64	39	N	5c	La réfractaire directe *Arrivée*

Dépôt légal: octobre 1999
Imprimé en France